障害者とともに働く

藤井克徳　星川安之

岩波ジュニア新書 925

まえがき

私たちの社会では、とんでもないことが起こります。あの東日本大震災とそれに続く原発事故の恐怖と衝撃《しょうげき》が覚《さ》めやらぬうちに、今度は新型コロナウイルスの急襲《きゅうしゅう》です。新手《あらて》のウイルスは、あっという間に日本列島を覆《おお》い、世界中を辛苦《しんく》の渦《うず》に巻き込んでいます。

ウイルスは容赦《ようしゃ》なく人びとに襲いかかり、おびただしい数の命を奪います。過去形ではありません。感染とそれによる影響は、数年越しに及ぶとの観測があります。元に戻ることはなく、社会のかたちや人びとの暮らしぶりが変わるという見方もあるのです。

影響はあらゆる面に及んでいます。ひと口に言えば、大規模で極端《きょくたん》な社会経済機能の低下です。なかでも、人びとの働き方への影響が際立《きわだ》っています。ざっとあげるだけでも、失業に追い込まれた人、働き方の変更を余儀《よぎ》なくされた人、仕事がないまま自宅待機を言い渡された人、就職内定が取り消された人などで、これが日本全国で同時に起こっているのです。要するに、新型コロナ問題の深刻な側面の1つは、労働問題と言ってよいでしょう。

こうした急速な労働環境の悪化は、経済や産業を中心に甚大《じんだい》なマイナスの影響をもたらしています。そんななかで、新たな動きや心持ちの変化が芽生えています。とくに、ICTなどを活用しながらの働き方の工夫や開発は目覚ましいものがあります。生活と仕事のバランスを考え直すきっかけになった人も少なくないでしょう。働くことと自身の役割、チームワークや直接会話の大切さ、通勤と生活リズムの関わりなど、あらためて「仕事とは何か」に向き合うことができた人もいるのではないでしょうか。

実は、今回の新型コロナ問題とは関係なく、私たちの社会は労働に関して大きな課題に遭遇《そうぐう》しています。象徴的な課題を2つあげましょう。1つは、生産性や効率性一辺倒《いっぺんとう》の働き方への疑問符です。仕事を理由とした自殺(自死)は後を絶ちません。同様にうつ病も急増しています。深刻さが報じられた直後はふり返りますが、長続きしません。

もう1つは、働くことを希望しながら働けない人が膨大《ぼうだい》に存在することです。その代表格が障害のある人たちです。一部の人を切り離したままの成長や繁栄は、果たして本物なのでしょうか。むしろ、そこにこそ働き方や社会のあるべき姿のヒントが含まれているように思います。

この本は、「障害のある人の労働」をテーマとしたものです。「障害のある人の労働」の全体像を知ってもらうことと併《あわ》せて、社会全体の労働のあり方を考える手がかりにしてほしかったのです。そんな折に新型コロナウイルスの感染拡大が急浮上しました。多くの人びとが、仕事の問題に直面することになります。この機会に、若いみなさんもいっしょになって、いろいろな角度から労働を問い直すのもいいのではないでしょうか。そのための素材の1つにしてほしいと思います。

目 次

イラスト：星川のぞみ

第1章

働くことは生きること

Ⅰ　人間はなぜ働くのか

「あなたはなぜ働くのですか」、藪《やぶ》から棒《ぼう》にこんなことを問われたらどうでしょう。すでに働いている人であれば、「いまさら何を言っているの」くらいの反応が返ってきそうです。あまりに平凡過ぎる問いに、一瞬の躊躇《ちゅうちょ》が目に浮かびます。中学生や高校生、大学生も同じだと思います。やはり戸惑《とまど》いを隠せないでしょう。そして「大人になれば働くのは当たり前じゃん」との答えが少なくないのではないでしょうか。

この問いは、「なぜ生きているんですか」「なぜ自由が大切なんですか」「なぜ言葉を使うんですか」などに等しいものがあります。ぼんやりとわかっているつもりでも、ふいに問われれば、にわかには答えにくいでしょう。人間にとっての普遍的で、根源的なテーマというのは、案外とそんなものかもしれません。

実は、この「なぜ働くのか」は、「労働の役割」や「働くことの意味」などとも併《あわ》せて、古今東西ずっと問い続けられてきたことです。そして、これからも問い続けられるでしょう。

古くは、思想形成が大きく動き出したギリシア時代に遡《さかのぼ》り、旧約聖書や新約聖書でも説かれ、とくに16世紀から現代にかけては、多くの思想家や哲学者、経済学者、心理学者によって活発で歴史的な深化が図られています。有名どころをあげると、マルティン・ルター(1483―1546)、ジョン・ロック(1632―1704)、アダム・スミス(1723―1790)、マックス・ウェーバー(1864―1920)、カール・マルクス(1818―1883)などです。日本人では、渋沢栄一(1840―1931)、宮沢賢治(1896―1933)、三浦綾子(1922―1999)、芝田進午《しんご》(1930―2001)などがあげられます。高校の倫理の教科書でもお馴染《なじ》みなのではないでしょうか。

あらためて「なぜ働くのか」に向き合ってみましょう。これについては、右記にあるように時代を超えた実証や研究が積み重ねられています。市民社会全体としても実感し、おおよその合意が得られているように思います。普段の暮らしのなかでそれほど突き詰めて考えることはなく、言われてみて「たしかに」「同感」と気付く人も少なくないでしょう。

ここから具体的な話に入りますが、以下の内容はもっとも多くを占める昼間の労働形態を想定したものです。大きく4点で集約してみましょう。

(1) 生活の糧を得たい

「なぜ働くのか」の第1は、生活の糧《かて》を得ることです。「お金が欲しいから」と置き換えてもいいでしょう。衣食住を中心とする最低限度の生活を営むためにも、自立を実質化するためにも、自己の尊厳を維持するためにも、暮らしに豊かさをもたらすためにも、人生の安心と安定を確保するためにも、個々の経済基盤を固めることは必須の条件となります。英国の文豪ウィリアム・サマセット・モームは、自らの小説のなかで、「そこそこの収入がなければ、人生の半分の可能性と縁が切れる」(『人間の絆』より)と述べています。説得力のある表し方のように思います。

「生活の糧」をもう少し深掘りするとどうなるでしょう。家族形態にもよりますが、「生活の糧」を確保するための対象は、働き手個人だけではなくいわゆる扶養義務者《ふようぎむしゃ》にも及びます。子どもはもちろん、場合によっては配偶者《はいぐうしゃ》、高齢化した親などです。狭い範囲での親族みんなの生活を守るということになるのです。

もう1つ重要なことは、現在の自身や家族のことだけではなく、「生活の糧」には将来への備えという時間軸の観点が含まれるということです。「人生の糧」と言ってよいでしょう。老後や病気への備え、住宅の購入や補修、子どもの学費、車や大型家電製品の購入、趣味にいそしむことや旅行の計画的な準備などがそれに当たります。そのための手段としてもっとも一般的なのは貯蓄となりますが、各種の公的もしくは民間の保険への加入や、さまざまなローン(住宅や学費)なども広い意味での時間軸に含まれます。

少し角度が変わりますが、間接的な「生活の糧」にも触れておきましょう。それは、労働の対価が税金として公的な財源になっていることです。さすがに、納税を個々の働く動機の上位にあげる人はいないでしょう。しかし、直接税にしろ、間接税(消費税)にしろ、税金の少なくない金額はいわゆる公共財(公共サービスや社会インフラの整備など)に充《あ》てられています。これらが、個々の生活の糧にどうつながるかについての感じ方は人それぞれですが、社会生活を営むうえでの安心や安定という点では、かけがえのない意味を持ちます。

こうしてみていくと、働くことと対価との関係は、まず第1に、「自分のため」もしくは「家族のため」ですが、意識するか否《いな》かは別として「他人のため」(社会の糧)も重なるのです。

(2) 自分らしさを発揮したい

第2は生きがいや働きがいを得ること、自分らしさを発揮することであり、ひと口に言えば「自己実現の追求」ということになります。新約聖書には、「人はパンのみにて生くる者に非《あら》ず」(マタイ伝第4章より)とあります。これは、人の暮らしにあって、物質面の充足だけではなく、心や精神面の豊かさがいかに大切であるかを説く一節です。「なぜ働くのか」のテーマにも当てはまります。労働は金銭だけではないのです。

小さいころから子どもが好きで保育士や教員になった、病気のことや医学に関心があり医療職に就いた、コンピュータを極めたくてＩＴ産業を選んだ、商売がやりたくて小売業やスーパーマーケットに勤めた、旅が好きで観光業に入った、植物や有機農法に関心があり農業に就いた、制度をつくることや地域の活性化に役立ちたくて公務員になった、アジアの国々とつながりたくて国際ＮＧＯに従事した等々、これらは日常的に接する話です。

めざしたものと仕事の内容がマッチするというのは理想です。しかし、当初からマッチングがうまくいくというのは、確率から言えばむしろ少ないと言った方がよいかもしれません。

それでは、当初めざしていたものではなく別の仕事に就いた人は、生きがいや自分らしさを見出すことなく、ずっとあきらめ感や忍耐が続くのでしょうか。決してそんなことはありません。「立場が人をつくる」という言い回しがありますが、これを労働になぞらえれば「労働が人をつくる」と言えるでしょう。まずは人が労働を営むことになりますが、人と労働との関係が深まるなかで、今度はその労働が人を成長させるのです。このことは、働く者の多くが実感しているに違いありません。

最初は本意でなかったり、苦手な仕事だとしても、主体的に向き合っているうちに案外と自身の特性や能力が生かせることがわかったり、自分のなかの新たな可能性を仕事が引っ張り出してくれることが少なくありません。大きくみて、仕事と生きがいや自己実現との関係は、最初からうまくいく場合と、仕事を通して芽生えていく場合の2通りがあるのです。多いのは後者と言ってよいでしょう。いずれにしても、「なぜ働くのか」を考えるうえで、生きがいや自己実現との関係は重要な意味を持つことになります。

(3) 社会とつながりたい

第3は、社会とのつながりです。これも労働が持つ重要な要素です。間違いなく、「なぜ働くのか」と深く関係します。前述した生活の糧や生きがいを得るのみで、社会とのつながりが代替できるものではありません。この社会とのつながりを具体的に言うとどうなるのでしょうか。以下に、主要なものの3点を掲げてみます。

1点目は、自身の労働が社会的な役割を担っていることです。

こんなことをいちいち考えることは、ふだん働いているなかではほとんどないように思います。でも、製造業にしろ、サービス業にしろ、流通業にしろ、建設土木業にしろ、公務労働にしろ、個人もしくは集団から発せられた労働の結果(一般的には成果物)は、規模の大小は別として、必ずや社会に絡むことになります。労働で発したエネルギーの社会への転化《てんか》と言ってよいでしょう。製造業の1工程を例にあげれば、工程のなかで生まれた部品や組み立ては、遠くない時期に完成品につながり、市場に登場することになります。その1工程は、まさに「大河《たいが》の一滴《いってき》」であり、まぎれもなく社会的な役割を果たしていることになるのです。

役割とは、あてにされる存在を意味し、また、本人にとっては責任感や自負にも置き換えられ、自尊心や誇りにもつながります。これらは大人になってからの成長を遂げるうえで重要な要素となり、それだけではなく働く意欲の増進など、労働力の回復や再生にも深く結びつくことになります。

2点目は、他者との関係がつくられることです。

多くの場合、職場が存在することになるでしょう。そこでは、毎日さまざまな人間模様が描かれ、すなわち人と人との交流や関係が生まれることになります。仮に、1人職場だとしても、仕事を通じて外部とのやりとりは一定のペースで行われることになります。労働は、人間関係のうえに成り立つものと言ってよいかもしれません。

交流や関係を突き詰めていくと、いくつかのキーワードが思い浮かびます。その代表格は刺激と仲間です。刺激といえば、心地よさもあるでしょうが、辛《つら》さや嫌悪感《けんおかん》を覚えることもあるはずです。後でふり返れば、それらのトータルが自身の血肉につながることが少なくないように思います。また、仕事のなかで育《はぐく》まれた仲間関係は格別です。そこでの親和性は生涯にわたることも珍しくありません。また、仲間の関係が、恋愛へ、さらには結婚へと発展する場合もあるでしょう。

3点目は、組織や集団の醍醐味《だいごみ》を実感することです。

労働場面の多くは、組織や集団がベースとなります。1つの目標や課題を組織や集団で達成した時の気持ちは、1人で成した時のそれとはひと味異なります。イメージとしては「ハイタッチ」の気分であり、人間社会を発展させていくうえでの大切な要素(考え方)の1つとなる「信頼」を共有できるに違いありません。

なお、「社会とのつながり」と言った場合に、書斎にこもる作家や研究室に入りびたりの研究者の仕事をどうみればいいのかという疑問が湧いてきます。結論から言えば、作品や研究成果を通して社会と広くつながると言えるのではないでしょうか。

(4) 生活にメリハリを持たせたい

第4は、健康の維持や生活リズムの確立です。

定期的で継続的な就労スタイルを労働習慣と言い、生活リズムや生活のメリハリと置き換えてよいでしょう。働くことでもたらされるかけがえのない生活要素だと思います。そして、このことは多分に健康の維持や増進に連動しています(就学もよく似ています)。

まず、生活のリズムという観点から考えてみましょう。多くの場合、決まった時間に目を覚《さ》まし、朝食を摂《と》り、家を出ていきます(リモートワークの場合は仕事に就きます)。その間に、トイレに行ったり、薬を飲んだり、定時のニュースや届いた新聞を見る人も少なくないでしょう。人によっては、それぞれの流儀《りゅうぎ》やオプション(子どもへの対応、宗教上の行為、体操や散歩、メールのチェックなど)もあるかもしれませんが、基本形はそれほど変わらないように思います。

とはいえ、よくよく考えるとこれら習慣化した一連の行為はすごいことではないでしょうか。もし、目覚めや食事、家を出る時間や仕事に就く時間が定まっていないとしたらどうでしょう。大方の人間であれば、目覚めや食事が遅れることになって、いわゆるダラダラ状態への突入となりかねません。

こうみていくと、労働がドシッと座っていることで、朝の一連の行為が成り立つことがうかがえます。夕刻以降も同様です。多少のでこぼこはあるかもしれませんが、夕食や風呂を終え、就寝の時間は大体決まっています。そこには、起床から始まる明朝の一連の朝の行為が意識され、もっと言えば生活の主軸となる労働があるからこそ、就寝をゴールとする夜半の行為もそれに規定されることになるのだと言えるでしょう。

生活のリズムと言えば、１週間単位でみてもよくわかります。もし、労働の時間帯がまったく無かったとしたら休日をどう感じるでしょうか。土曜や日曜のありがたみは半減するどころか、ほとんど感じないはずです。休日や余暇というのは、主柱となる時間、すなわち時間の拘束《こうそく》と役割や責任を伴う労働があって、はじめて実感するのではないでしょうか。

健康面からも労働の意味は少なくありません。まず、生活の規則的なリズムによって得られる自律神経や各種の内分泌(さまざまなホルモン)の作用の促進はよく知られた話です。また、通勤を含む労働の総体は、頭脳や神経系、筋肉系、骨格系に刺激をもたらします。全身作用、全身運動と言ってよいでしょう。さらには、人との関係で得られる精神作用も健康の維持には不可欠の要素です。精神衛生を保つとか、心の栄養の摂取と言ってよいでしょう。他にも、多くの職場で実施されている定期健康診断も、労働と直接つながりませんが、働くことに付随《ふずい》する大事な健康維持の手段となっていると言えます。

なお、言わずもがなですが、オーバーワーク（過労）やストレスの過剰な職場にあっては、健康の維持や増進に大切な労働が、一転して心身の健康を蝕《むしば》むこともあります。このような「働き方」は、本来の労働とは言えません。

2 障害者にとっての労働

ここからは、本書のテーマである「障害のある人の労働」に向き合うことにしましょう。以上述べてきた「なぜ働くのか」ですが、障害のある人とどう関係するのでしょうか。結論から言えば、「なぜ働くのか」の4つの観点は、そっくり障害のある人にもあてはまるのです。

すなわち、「障害のない人の労働」も、「障害のある人の労働」も、その本質は同じなのです。当たり前に聞こえるかもしれませんが、このことを強調するのには訳《わけ》があります。

それは、「本質は同じ」と言いながら、障害者の労働実態は非常に厳しいものがあるからです。ダブルスタンダードと言われても仕方のないような状態が続いているのです。この点は、本書がもっとも強調したいことの1つです。厳しい状態、格差の実態については後で詳述《しょうじゅつ》します。

そこで、「本質は同じ」を明らかにする意味からも、前述した「なぜ働くのか」の4つの観点と障害のある人の関係をもう少し深めてみましょう。なお、ここで想定する障害者は、比較的障害の重い人です。雇用労働者ではなく、現行制度では就労継続支援B型事業など、福祉的就労に就いている障害者をイメージしてもらえればいいかもしれません。障害の重い人を例に掲げた方が、「本質は同じ」がより深められるように思います。

(1) 月額1万6000円

まず「生活の糧を得る」についてですが、率直に言えばきわめて厳しいものがあります。福祉的就労に就いている者の平均工賃(賃金とは呼称されていません)は、月額で1万6000円余です(平成30年度)。生活を成り立たせる額にはほど遠いと言えます。ただし、その程度の額では意味がないのかとなると、それは違います。

実は、この国では長い間、障害の重い人は働けない状態が続いていました。1969年の「ゆたか共同作業所」(現在のゆたか作業所、名古屋市)の開設を端緒《たんしょ》に、無認可の作業所が爆発的に増えることになります。最高時は6023か所に及びました(2003年度都道府県小規模作業所補助金交付カ所数一覧(含政令市・中核市・東京特別区)2003年8月1日現在、きょうされん調べ)。障害の重い人たちは、ここで初めて工賃を得ることになったのです。それは、親からの小遣いとも違い、公的な年金や手当とも異なるものでした。たとえ少額でも、自分で稼《かせ》ぐことの意味は何物にも代えがたいものです。決して手を抜くわけではなく、力を尽くしての1万6000円余なのです。費《つい》やした時間とエネルギーを併せみれば、額の多寡《たか》だけではない労働の価値を見出すことができるでしょう。

(2) モチベーションとなる役割や責任感

次に、「生きがいや自分らしさの発揮」についてみていきたいと思います。この点は、仕事の内容やそこでの役割などと深く関係してきます。仕事の内容で言えば、かつての作業所の標準的なタイプは、いわゆる内職業がほとんどでした。元請《もとう》けから数えて４次、５次の下請《したう》けなのです。それこそベスト３ではありませんが、割りばしやアイスクリームのヘラの袋詰め、菓子やギフト用の箱折《はこおり》、バリ取り（プラスチック製の部品などで、余計な部分をそぎ取る作業）などは、どこでも見受けられました。

これらの工賃の単価は「銭《せん》」が生きている世界で、１つの工程が１円に満たないものも少なくありません。もちろん、当初から道具や治具（加工に必要な器具）を使用し、電子部品のはんだ付け、車両や電気製品部品のねじ締めや組み立て、健康食品の充塡《じゅうてん》などにとりくんでいるところもありました。それでも工賃単価の水準は劇的に変化するわけではありません。

工賃の低さとは別に、そこにみられるのは自分なりの「働きがい」なのです。具体的には、役割を得ていることであり、「僕が（私が）がいないと仕事は流れない」「目標の数を達成できない」など、必ずしも表に出さない人もいますが、そんな気持ちを持つ人が少なくないように思います。役割から責任感へとつながり、通所するうえでのモチベーションになっているのです。よく精神障害のある人は長続きしないと言われることがありますが、決してそんなことはありません。納得した役割があることで、安定した通所につながっている事例は枚挙《まいきょ》に暇《いとま》がありません。

ここに掲げたような仕事は、進化を重ねながら今でもとりくまれているところもあります。一方で、さまざまなチャレンジも試みられています。試みのキーワードは「オリジナル」(独自の商品や製品)です。特徴としては、広い意味での食に関する仕事の幅が拡大していることです。弁当やパン、クッキーの製造、喫茶店やレストランの経営に乗り出しているところもあります。農業や林業、漁業などの地場産業《じばさんぎょう》と連携している実践も見受けられるようになりました。

こうした「オリジナル」の営みは、工賃の大幅なアップに留まらず、生きがいや自己実現という視点からもかけがえのない意味をもたらしています。

(3) 仲間と会うことが楽しみ

今度は、「社会とのつながり」の観点でみてみましょう。

障害のある人によっては、低工賃に不満があり、生きがいや自己実現が感じられないということを明確に口にしたりします。「それじゃどうして作業所に来るの」と尋ねると、「仲のいい友だちと会うのが楽しみ」「スタッフと話をしたい」などと返ってきます。加えて、途中の商店街や作業所近くのコンビニなどの店員さんと挨拶を交わしたり話したりすることが日課となり、楽しみになっている人もいます。

程度の違いこそあれ、こうした他者との交わりは、仕事に伴う副産物です。「社会とのつながり」そのものなのです。さらに、言葉遣いが変わり、服装や身だしなみにも変化が出てきます。社会性の高まりと言ってよいかもしれません。かつての、自宅とコンビニとの往復だけといった生活とは大違いで、暮らし方全体の質的な変化につながるのです。

もちろん、肝心な仕事を通しての社会とのつながりも実感しているように思います。仕事の内容によっても異なるかもしれませんが、総じて「オリジナル」の仕事は社会とのつながりを濃く感じるに違いありません。とくに、弁当やパンの製造・販売、喫茶店やレストランなどにあっては、卸先や客と直に接することになります。社会とのつながりだけではなく、まぎれもなく社会的な役割の域に達しているように思います。

(4) 自動的に退行防止

労働がもたらす「健康の維持や生活リズムの確立」についても、障害のない労働者同様に、障害のある人にとっても大切な意味を持ちます。働きに行くことは、それ自体がさまざまな刺激との遭遇《そうぐう》を意味し、筋肉や骨格を使うことになります。言い換えれば、半ば自動的に精神機能を含む全身の機能低下(退行)を防いでいると言えるのです。リハビリ(機能の回復や増進)の作用とも重なります。

端的な例としては薬の服用をあげることができます。障害のある人のなかには、向《こう》精神薬や抗てんかん剤、緊張緩和剤《きんちょうかんわざい》など、薬を服用している人は少なくありません。労働を主軸とすることで、規則正しい生活がつくられ、これが薬の定時服用とも連動するのです。また、毎日通うことの意味も大きいと言えるでしょう。体調の変化をいち早く知ることができます。仮に無断欠勤が続けば、「何かのサイン」とばかり、電話連絡や自宅への訪問につながる場合もあります。いずれにしても、早期治療を含む早期対応の可能性が広がると言えるのです。

(5) 周りの視線から逃れたかった

以上、4点にわたって「なぜ働くのか」を述べ、これらの観点と障害のある人との関係について言及してきました。ここで、もう1点付け加えておきたいことがあります。このことは、筆者がかつて共同作業所に勤務していたころに、実際に体験した話です。障害のある人にとっては意外と大きな意味を持ち、多分に日本という国の特質を反映しているように思います。

かれこれ35年ほど前になるでしょうか、筆者は作業所(あさやけ第二作業所、東京都小平市)に勤務していました。ここで精神面に障害のある利用者の1人に、「作業所で働くようになってよかったことは」と尋ねると、思いもよらない答えが返ってきました。給料のことでも、仲間のことでもありません。「当たり前の時間に家を出て、そして当たり前の時間に家へ帰る、そんな風にしたかった」と言い、「周《まわ》りの自分への厳しく冷たい視線から逃れることができた」と続けたのです。家族や親戚、地域の人が実際にどう思っていたのかは別として、少なくとも障害のある当人は、「働かないでいる自分のことを周りの人びとはおかしく思っているんだろうな」と感じていたのです。作業所に毎日通うことで、周囲の目への気遣いから解放されたと言うのです。

「働きバチ社会」「気働き文化」という言い回しがあります。ここから透けてみえるのは、「働かない人はだめな人」という価値観です。日本社会の特質が重なるこうした空気感を、障害者の多くは敏感に感じているように思います。

残念ながら、こうした風潮は今も続いています。むろん、好ましいとは思いません。ただし、現実の姿として、障害のある人が働くことの動機に、「周りの視線から逃れたかった」がそれなりの数にのぼることを紹介しておきたいと思います。

3 労働をより深めるために

(1) 労働の3要素

「なぜ働くのか」に加えて、労働に関する基本的なことがらについてもう少し述べることにしましょう。そのなかで障害との関係についても触れてみたいと思います。

まずあげたいのは、「労働の3要素」についてです。これは労働を成り立たせる要件でもあり、分解してとらえることで人類社会の発展と併せて、労働のどの部分が進化してきたのかを推し測ることができます。具体的には、①労働能力、②労働素材、③労働手段の3点です。わかりやすくするために「農耕」を例に話を進めていきましょう。

1点目の労働能力ですが、これはそのまま労働に必要な能力を指し、身体機能と精神機能の総体と言ってよいでしょう。農耕には、足腰や腕力だけではなく、手指の器用さも、また視力やコミュニケーション力も不可欠となるでしょう。考える力や記憶力、判断力や根気なども必要です。

ここでふと素朴な疑問が湧いてきます。日本の稲作の始まりは紀元前10〜5世紀ごろとされていますが、果たして労働能力はそのころからどれくらい変化したのかと。実は、2500年程度であれば、筋力や視力などの身体面、知力や意欲などの精神面の機能はほとんど変わっていないのです。部分的には、古代人の方が優っているかもしれません。

2点目の労働素材はどうでしょう。労働素材とは、働きかける対象であり、変化する対象と言っていいでしょう。農耕で言えば、土、水、空気、そして種や苗などです。もちろん土壌（粘土、砂、腐葉土《ふようど》の混合）の改良や作物の品種改良は進んでいます。しかし、土や水、空気の成分がどれくらい変わったのでしょうか。分子レベルの種の成分がどれくらい変わったのかとみていくと、変わっていない、もしくは少なくとも劇的な変化はみられないのです。

3点目の労働手段に焦点を当てることにしましょう。結論を急ぐとすればこちらの変化はすさまじいと言えます。

農耕にとって欠かせない、「耕す」という作業をイメージしてみてください。最初は素手で向き合ったに違いありません。あまりの痛さや疲れに枝や木片を使うことになります。やがて、石器、鉄器、そして牛や馬などを動力源とすることで作業量は大幅にアップします。さらには耕運機《こううんき》、トラクター、コンバイン、ドローンなどの登場と長足の進歩を遂げることになります。これらへのICTやAIの搭載《とうさい》などで、バージョンアップはなお止まるところを知りません。労働の進化とは、要するにもっぱら労働手段の発展や革新と言って過言ではありません。こうした発展や革新による恩恵は、製造業はもちろん、事務労働やサービス業などたいていの労働場面に及んでいます。

ここで、障害者の労働の観点から、労働の3要素をみてみましょう。知的な障害(言葉や数、抽象的思考が苦手)にしろ、身体障害(マヒや緊張、視力や聴力の低下など)にしろ、精神面の障害(妄想や幻聴、過度な落ち込み、発作など)にしろ、こうした障害が労働の力を削《そ》ぐことになります。労働力は、個々の障害の状態によってまちまちですが、障害のない人の労働力と比べて20パーセント程度、30パーセント程度であっても、働くことを希望する人は少なくありません。

問われるのは、障害を原因とする労働力の不足分をどう補うかです。本人の意思や頑張りではどうにもならないのが障害なのです。とすれば向かう方向は明白です。ここにあげた労働手段の改善にこそ答えが詰まっているように思います。まず考えられるのが、ICTやAIの活用を含む機械や装置の積極的な導入であり、施設(建物)の改修や安全面の配慮、人的サポート体制の拡充も大切となるでしょう。そうみていくと、労働手段というより、労働環境ととらえた方がいいのかもしれません。

残念ながら、現場でどれくらい労働手段(労働環境)にこだわっているのかとなると、十分とは言えません。否、わかっていながらも経費面などから着手できていないように思います。いずれにせよ、このように労働を要素に分けてとらえることで、政策上や実践上の課題がみえてくるのではないでしょうか。

(2) 労働と学習そして遊び

労働の基本的なことがらに関わって、もう1つ整理しておきたいことがあります。それは、労働に類似した行為、活動をどうみるかということです。具体的には、「労働」「学習」「遊び」の違いについてです。

紙加工の1つである箱折作業を例に考えてみましょう。折り紙で小箱を作る場合もあれば、厚紙を材料とした本格的な箱作りもあります。箱折作業は、減ったとはいえ作業所ではまだまだ見受けられ、教育の場面ではとくに算数や図画工作で扱われています。幼稚園や保育園など、遊びの場面でもよく目にします。表面的には同じ箱折ですが、そこには大きな違いがあります。ひと口に言えば目的の違いということになります。遊びについては、とにかく楽しむことが大きなポイントになると言えるでしょう。学習は遊びとはだいぶ異なります。算数の観点では幾何《きか》の基本が、図画工作ではのりしろのとり方や、ハサミやカッターの使い方がテーマとなります。

これに対して労働はどうでしょう。労働の目的の最大の特徴は結果です。結果とは出来栄えと数量であり、生産性ということになります。結果を重んじる労働は、プロセスを重んじる学習や遊びとは異なることになります。さらに、結果が賃金(工賃)につながるという点でも、決定的な違いをみることができます。

「なぜ働くのか」に始まって、大まかではありますが労働の基本的なことがらを述べてきました。あらためて労働の持つ固有の力を認識してもらえたのではないでしょうか。このことは、途中でも述べた通り、障害の有無にかかわらず、万人に共通することなのです。

4 あらためて障害とは

(1) 障害のある人はどれくらいいるのか

ここからは、障害のある人の労働についてさらに深めていきたいと思います。まずは、

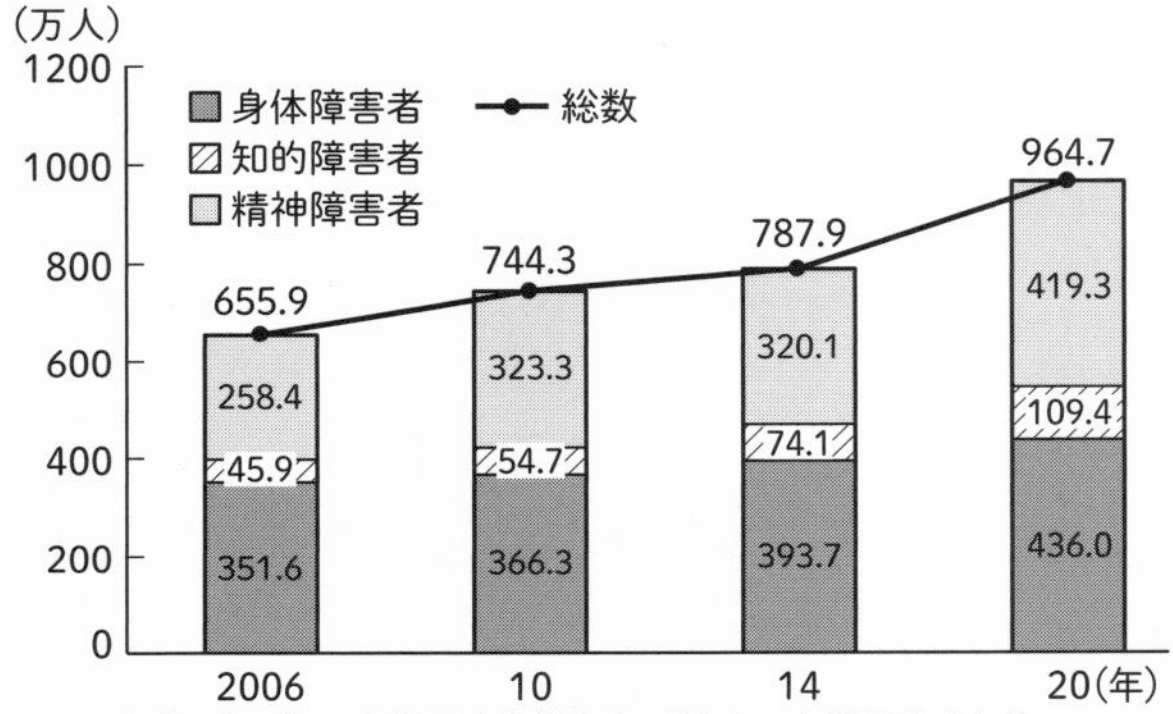

出典：『平成 30 年版厚生労働白書』『令和 2 年版障害者白書』

図 1-1　障害者数の推移

そもそも障害のある人はどれくらい存在するのか、障害とは何かについて述べることにしましょう。最初に、障害のある人の概数《がいすう》について共有しておきます。

政府の最新データによると（『令和2年版障害者白書』）、その総数は964万7000人となっています。内訳は、身体障害者436万人、知的障害者109万4000人、精神障害者419万3000人です。人口比でみると、約7・7パーセントとなります。図1-1の通り、増加傾向が続いています。絶対数が増えているのか、調査方法などの影響によるものなのかは定かでありません。

なお、もう1つの大きな障害群があります。それは認知症の人たちです。政府の推計値によると

(『平成29年版高齢社会白書』)、2020年は602万人となっています。これらを合計すると、1566万7000人となり、全人口の約12・4パーセントとなります。

これですべての障害者がカウントされているのかとなると、そうではありません。実は、前記の「障害のある人」から漏れている人が相当数存在します。ロービジョン(いわゆる弱視)や色の識別の困難な人、耳の聞こえにくい人、難病や高次脳機能障害の人、発達障害の人、心理面に不安を抱える人などのなかには、障害状態にある人は少なくなく、あるいは当人の希望で障害者手帳を取得しない人もいるのです。

WHO(世界保健機関)は、2011年の「障害に関する世界報告書」で、「障害者の人口比は約15パーセント」と明示しました。日本は、これをはるかに上回ると推定されます。こうなるともはや少数派とは言えないでしょう。障害者の労働政策を検討していくうえからも、「少なくない障害者層」を正確に押さえるべきであると言えるのではないでしょうか。

ちなみに、障害者の人口比は国によって大きく異なります。その主たる要因は、「障害者の範囲」のとらえ方の違いによるものですが、総じて、途上国と比べて先進国の方が障害者の人口に占める割合は大きくなっていると言えます。

(2) 障害についての2つのとらえ方

次に、「障害とは何か」について簡単に述べたいと思います。これを考えるうえで重要になるのが2つのキーワードです。それは「医学モデル」と「社会モデル」です。

障害の医学モデルとは、障害を、個人の身体機能や精神機能の医学的側面からとらえる見方です。神経や筋肉のマヒ、知的な遅れ、視覚機能や聴覚機能の低下、精神症状、強いこだわり、難病、発声の困難などがある状態で、認定には医師の診断が重視されます。個人モデルとも言います。これは、日本の旧来の障害観であり、現在も各種の障害関連政策のベースになっています。

他方、障害の社会モデルとは、障害は機能障害のある人を取り巻く社会的な障壁によってもたらされるというとらえ方です。社会的な障壁とは、偏見や差別の意識、法律や制度の不備、建物や公共交通機関の利用しづらさ、情報に接することの困難さ、差別的な慣習などを指します。昨今では、もう少し新たな考え方を付加して人権モデルと称する場合もあります。

障害の定義は、WHOによる長年の論議の積み重ねのうえに整理され、障害者の権利に関する条約（2006年国連総会採択。以下、障害者権利条約）において明示されました。障害者権利条約には、「障害が発展する概念であることを認め、また、障害が、機能障害を有する者とこれらの者に対する態度及び環境による障壁との間の相互作用であって、これらの者が他の者との平等を基礎として社会に完全かつ効果的に参加することを妨げるものによって生ずることを認め」（前文（e）項）と記されています。

障害と向き合っていくためには、先の2つの視点をバランスよく取り入れることが肝要です。ただし、とくに日本はその傾向が強いのですが、あまりに「医学モデル」に比重を置いてきました。バランスを取るという意味では、「置かれる環境によって障害は重くもなれば軽くもなる」、「障害は社会の側に潜むもの」とする社会モデルの視点にもっと重心をかけるべきだと思います。

社会モデルの視点は、障害のある人の労働を考えるうえからもきわめて重要です。このことは、筆者の体験からも明らかです。筆者は、いわゆる全盲《ぜんもう》状態にあり、現代の科学

（医学）水準では視力を取り戻すことは難しいと言われています。視力を失ったのは40代半ばでしたが、文字と決別した時はすさまじい不安に襲われました。悶々《もんもん》と苦しみました。その時の障壁とは、移動と情報の自由がままならないことでした。視覚障害者に共通する障壁と言っていいのかもしれません。

結果的に、情報の出入力については音声パソコンに助けられ、移動については職場で応援体制を取ってくれています。視力ゼロの状態は変わりませんが、環境を変えることで労働障害は軽減もしくは消失することもあるのです。このことは、あらゆる障害にあてはまるのです。

5 障害者の就労実態

(1) 政策水準を測る4つのものさし

第1章の最後に、政策面からみた障害のある人の労働に関する実態をみてみたいと思います。これに先立って、実態の水準をとらえる「ものさし」を提示しておきます。この

「ものさし」は、筆者が20年余前に思いついたものです（ちょうど完全に視力を無くしたころ）。障害者の労働分野の政策水準を推し測るうえで役立つように思います。

1点目は、市民一般の労働施策との比較です。2006年に国連で採択された障害者権利条約には、「他の者との平等を基礎として」というフレーズが何度も登場します。障害者権利条約は、「障害者に特別な権利を」とはひと言も言っていません。もっぱらくり返しているのが、障害のない市民との平等なのです。残念ながら、労働施策にあってもこのことは容易ではありません。

2点目は、障害者の労働施策について、日本と同等の経済力のある国々との比較です。比較の対象は、OECD（経済協力開発機構）加盟国（日本を除いて36か国）あたりとなるでしょう。法定雇用率の水準、労働場面での人的な支援制度、個々に対する所得保障制度との連結など、気になる切り口はたくさんあります。

3点目は政策の本質部分についての過去との比較です。指標的な意味を持つ政策や数値を年次別に並べると、一定の評価ができるでしょう。就労者の数や労働条件（賃金や雇用形態など）、雇用施策と福祉施策の一体的展開の進捗《しんちょく》などがこれにあたります。

4点目は、障害当事者のニーズとの比較です。よかれと思っていた政策が、実は的外れでニーズに合っていない場合が少なくありません。ニーズに適合した政策とするためには、少なくとも次の2つの視点を欠いてはならないと思います。いずれも障害者権利条約を通して確かめられた考え方で、1つは「私たち抜きに私たちのことを決めないで」という考えであり、合理的配慮《ごうりてきはいりょ》の実質化がもう1つです(後段で詳述)。

4つのポイントの内、「当事者ニーズとの比較」がもっとも重要であることは言うまでもありません。

(2) 労働分野の全体的な特徴

以上の4つの「ものさし」を念頭に置きながら、日本の障害者の労働実態についてみていきましょう。まず、政策面の全体的な特徴をあげます。主なものとして3点掲げます。

第1は、労働の分野が、雇用施策と福祉的就労施策の2体系に分かれていることです(図1-2)。

雇用施策の所管は労働部署(厚生労働省職業安定局障害者雇用対策課)で、各種の労働法

<table>
<tr><th>根拠法令</th><td colspan="6">【障害者総合支援法】
（障害者の日常生活及び社会生活を総合的に支援するための法律）</td><td colspan="7">【障害者雇用促進法】
（障害者の雇用の促進等に関する法律）</td></tr>
<tr><th>所管</th><td colspan="6">福祉部署
（厚生労働省　障害福祉課）</td><td colspan="7">労働部署
（厚生労働省　障害者雇用対策課）</td></tr>
<tr><th>役割</th><td colspan="6">就労・訓練</td><td colspan="3">相談</td><td colspan="4">雇用</td></tr>
<tr><th rowspan="2">名称</th><td rowspan="2">地域活動支援センター</td><td rowspan="2">生活介護</td><td>自立訓練</td><td rowspan="2">就労定着支援</td><td rowspan="2">就労移行支援</td><td>就労継続支援</td><td rowspan="2">障害者就業・生活支援センター（※福祉部署との連携）</td><td>障害者職業センター</td><td rowspan="2">公共職業安定所（ハローワーク）</td><td rowspan="2">特例子会社</td><td colspan="3">障害者雇用納付金制度に基づく各種助成金制度</td></tr>
<tr><td>•機能訓練•生活訓練</td><td>•A型•B型</td><td>•障害者職業総合センター•広域障害者職業センター
•地域障害者職業センター</td><td>•障害者作業施設設置等助成金
•障害者介助等助成金
•重度障害者等通勤対策助成金　等</td><td>•在宅就業障害者支援制度（在宅就業障害者特例調整金）</td><td>•調整金•報奨金</td></tr>
</table>

2020年10月現在

図1-2　障害者の就労支援に関する主な制度一覧

規の対象となります。福祉的就労施策の所管は福祉部署（厚生労働省社会・援護局障害福祉課）で、基本的には労働法規は適用されません。「福祉的就労」という言葉は、1970年代半ばごろから関係者の間で用いられはじめ、その後障害分野では一般化していると言ってよいでしょう。現行の制度名は、就労継続支援（A型、B型）で、かつては授産施設や小規模作業所などと呼ばれていました。

なお、就労継続支援A型事業は、利用者に労働法規が適用されるなど、福祉部署と労働部署にまたがる制度となっています。ここでの「福祉的就労」の呼び名ですが、これについては本書の後半（第3章）で、「社会支援就労」と改称するよう提言しています。

第2は教育や医療と比較して、労働施策の水準があまりに低いことです。障害のある子どもの就学率はほぼ100パーセントで（事実上高校教育まで）、12年間の安定した教育年限が確保されています。卒業時点では、雇用か福祉的就労かは別として多くの場合学校側の支援で進路先が確保されます。しかし、卒業した後は個人（家族を含む）の責任に委《ゆだ》ねられるなど、一気に不安定な状況に置かれるのです。

医療との格差も大きいと言えます。例えば、精神科病院への入院時と退院後を比べた場合に、人的な支援体制はそれこそ雲泥《うんでい》の差です。障害の状態は何ら変わらないのに、教育、医療、労働の各分野によって、個に対する公費の水準はまったく異なるのです。分野別に比べると、福祉施策と並んで、労働施策は極端に低いのです。

第3は、障害の状態によって格差が生じていることです。賃金や雇用形態（正規か非正規かなど）で如実《にょじつ》に表れています。身体障害者、精神障害者、発達障害者、知的障害者を比較すると、圧倒的に、知的障害者が厳しい条件に置かれていることがわかります。知的障害の特徴の1つに、自らの意思を伝えにくい、主張しづらいということがあります。このことと労働場面での不利益がつながっているとすれば、もはや人権問題と言ってよいでしょう。

なお、雇用施策と福祉的就労施策の全体状況は図1-2の通りです。

(3) 障害者雇用の実態

2つの政策体系のうちの雇用施策からみてみましょう。そのルーツは、1960年の身体障害者雇用促進法の制定に遡ります。1960年と言えば、身体障害者福祉法の施行から10年、精神薄弱者福祉法(現在の知的障害者福祉法)が制定された年でもあります。戦後復興が進むなかで障害者政策にも多少幅が出始めたころで、雇用分野が意識されたのです。と同時に国際的な潮流の影響が大きかったと言えます。ＩＬＯ(国際労働機関)で1955年に採択した「職業更生(身体障害者)勧告」(いわゆる第99号勧告)がそれです。ただし、身体障害者雇用促進法は「ザル法」と揶揄《やゆ》されたように、効力はきわめて限定的でした。大きな転機となったのは1976年の改正で、身体障害者雇用率制度(雇用の義務化)と身体障害者雇用納付金制度の新設でした。今も、この雇用率制度と納付金制度は、障害者雇用制度の2本柱となっています。

雇用率制度とは、企業や公的機関での全従業員に占める障害者の割合を法律に明記することでした(当初は民間企業で1.5パーセント)。納付金制度は、一種のペナルティ制度で、民間企業で法定雇用率が達成できていない場合に、1人の不足分につき月額3万円(1992年から5万円)を独立行政法人高齢・障害・求職者雇用支援機構(国の外郭団体)に納める制度です。納められた納付金は、障害者雇用に熱心な企業に調整金や報奨金、および助成金などのかたちで支給されることになります。

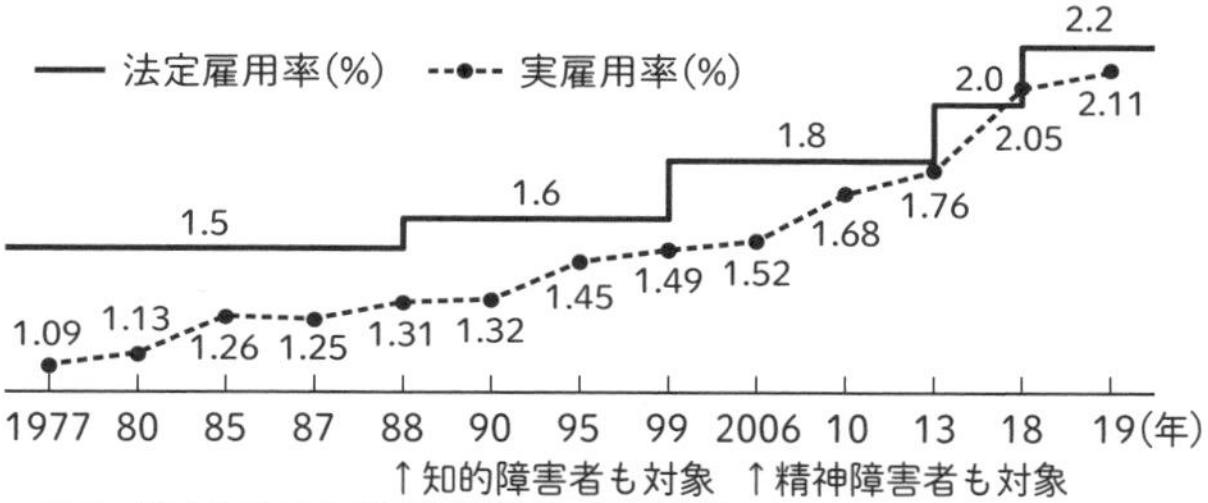

出典：独立行政法人労働政策研究・研修機構

図 1-3　民間企業における障害者雇用状況の推移

その後、障害者の雇用の促進等に関する法律（以下、障害者雇用促進法）と改められながら（1987年）、対象障害の拡大とそれに基づく法定雇用率の引き上げを中心に、順次改正が進められています。部分的には、1988年や2006年に改善はあったものの、身体障害者と完全に同水準になるには、知的障害者は1997年（1998年施行）、精神障害者は2013年（2018年施行）の法改正まで待たなければなりませんでした。

現行の法定雇用率は、民間企業で2・2パーセント（2021年3月1日から2・3パーセント）、国と地方公共団体等で2・5パーセント（都道府県等の教育委員会は2・4パーセント）、独立行政法人で2・5パーセントとなっています。

これに対して、実際の雇用率は、2019年のデータで

(厚労省は毎年6月1日現在の調査を実施)、民間企業2・11パーセント(図1-3)、国2・31パーセント、都道府県2・61パーセント、市町村2・41パーセント、都道府県教育委員会1・89パーセント、独立行政法人2・63パーセントとなっています。なお、民間企業の内、法定雇用率を守っている企業の割合は48パーセントに留まっています。

民間企業でみていくと、2・2パーセントの法定雇用率が発生するのは、常用労働者数が45・5人以上の規模となります。それ以下の規模については、厚労省は別途調査を行なっています。「障害者雇用実態調査」と言われ、5年に一度、常用労働者数が5人以上の事業所を対象としています。直近の調査結果は、2018年6月現在のもので、2019年6月に公表されています。

なお、2018年の同実態調査結果によると、雇用されている障害者の推計値は82万1000人となっています。このうち、法定雇用率が適用される民間企業と公的機関で雇用されている障害者の合計(実数)は51万5881人(2019年現在)です。ざっと、30万人近くが、雇用率制度の対象とはならない小・零細企業・事業所で働いていることになります。

(4) 福祉的就労の実態

他方、福祉的就労分野の実態がどうなっているかです。

福祉的就労の最大の特徴は、前述した通り、基本的に労働基準法を中心とする労働法規の対象になっていないことです。具体的な制度名を記すと、就労継続支援A型事業、就労継続支援B型事業(以下、A型事業もしくはB型事業)です。正確に言えば、A型事業は福祉の領域にある障害者総合支援法を根拠としながら、労働施策にまたがっています。A型事業の利用者には労働関連法規が適用されることになります。こうした雇用と福祉にまたがる制度は日本では珍しいと言えます。なお、比較的障害の重い人のための生活介護事業(デイサービス)や地域活動支援センター(自由度の高い活動)でも、作業活動が行なわれています。最高時6023か所を超えた無認可の作業所(小規模作業所や共同作業所とも呼称)などと併せて、これらの総体を福祉的就労と呼んでいます。

このように、福祉的就労と言っても多様ですが、活動の内容や設置数などからみて、福祉的就労の主流はB型事業と言って差し支えありません。ごく簡単になりますが、沿革、数量からみた実態について紹介します。

もともと就労継続支援事業の前身は授産施設です。その就労継続支援事業のなかのA型事業所をかつては福祉工場と呼び、在籍する障害者は事業所との間で雇用契約を結んでいました(現在のA型事業は、雇用契約に加えて福祉サービスの契約が必要)。福祉工場も法律上は授産施設の一種でした。

そこで、授産施設についてもう少し付け加えたいと思います。そのルーツは古く、江戸時代後半期まで遡ります。明治維新から廃藩置県の後まで、士族授産というかたちで失職した武士の仕事場の1つとなりました。その後、授産所として、明治期、大正期、昭和中期にわたり、障害者を含む救貧対策の一翼を担うことになります。とくに関東大震災(1923年)の直後はだいぶ増えました。

障害者を対象とした本格的な授産施設制度は、1949年制定の身体障害者福祉法に基づく身体障害者授産施設(全員が宿泊する形態)が最初でした。ただし、当初の段階で公費が支給されたのは公立のみで、民間の設置が認められたのは1958年です。

その後、1960年の精神薄弱者福祉法(現在の知的障害者福祉法)の制定を受けて、1964年の精神薄弱者収容授産施設制度(全員が宿泊する形態)の創設へとつながります。精神障害者対象の授産施設制度はこれらより大幅な遅れをとることになります。1987年の精神衛生法から精神保健法への改正(1988年施行)に伴い、精神障害者通所授産施設の制度化が図られました。その後、2006年施行の障害者自立支援法(現在の障害者総合支援法)を節目に、授産施設は、就労継続支援(A型、B型)に引き継がれることになります。

B型事業の方が圧倒的に多く、その数は1万1385か所にのぼります。利用者総数は29万7259人で、利用者1人当たりの平均月額工賃は1万6118円となっています。事業所との間で雇用契約を結ぶA型事業は、同じく3839か所、8万5428人、7万6887円です。

こうした工賃(A型事業では賃金)で生活が成り立つのか、当然そんな疑問が出てくるに違いありません。現実には、障害基礎年金(1級は月額約8万1000円、2級は月額約6万5000円)が、低工賃(賃金)をカバーするかたちになっています。

B型事業の利用者を中心とする調査では、工賃と障害年金、家族の仕送りなどすべての収入の合計が、相対的貧困線(日本の場合は、年間の可処分所得が122万円以下)に達しない人が80パーセント以上にのぼります。不足する分については、家族が補塡《ほてん》することになります。無年金者を中心に、生活保護制度を利用している人も少なくありません。

「障害のある人の労働」についての政策や実践は、国際的にみてもそれほど古くはありません。日本はさらに遅れをとり、1970年代に入って徐々に政策面の整備が図られてきました。政策の中心となったのが障害者雇用と福祉的就労です。たしかに一定の役割を果たしています。しかし、質的にも量的にも、何より障害当事者のニーズからみて改革の途上であり、本格的にはこれからと言ってよいのではないでしょうか。

第2章

障害者の働く現場から

この章では、障害者と「ともに働く」を実践しているいくつかの職場を紹介していきます。ご紹介する職場は、業種、職種、職員・社員数などは異なりますが、共通していることがあります。異なる点とともに、共通することは何かを気にしながら読んでもらえたらと思います。

最初に紹介するのは、静岡県浜松市にある農園、京丸園《きょうまるえん》です。

Ⅰ　京丸園株式会社

鈴木厚志さんが代表を務める京丸園株式会社は、４００年を超える歴史のある農園で、鈴木さんは13代目になります。11代目まで水田農業を中心に行っていましたが、12代目の先代が水耕栽培《すいこうさいばい》やアイガモ農法に取り組み、「進化させる農園」の元を作りました。そして、13代目の鈴木厚志さんは、農園に更なる広がりを持たせるため、２００４年この農園を株式会社にしたのです。

株式会社化したきっかけに、「ユニバーサル農園」を実現するという目的が含まれています。ユニバーサル農園という言葉は、鈴木さんが浜松の農園仲間とともに作った言葉で、「働く個人ごとに役割を持ち、人とのつながりの中で喜びを感じながら仕事を行い、経営を発展させていく農園」と定義しています。

京丸園には、現在4つの部門があります。経理、労務、営業を行う「総務部」と、農産物を作る3つの部門です。1つ目の「水耕部」では、姫《ひめ》ねぎ、姫みつば、姫ちんげんさいなどを栽培し、選別、仕分け、袋詰め、包装までを行っています。2つ目の「土耕部」では、米、さつまいもの栽培を行っています。

そして3つ目はユニバーサル農園を目指す京丸園ならではの部門、「心耕部《しんこうぶ》」です。障害のある人が京丸園に入社すると、まずこの部署に配属されます。この部署では、配属された社員に向かって「この仕事をお願いします」と言う代わりに、「あなたはどんな働き方がしたいですか?」と尋ねます。その要望に応えるために、会社の仕組みや使用する道具や機器を整えることが次の仕事となります。

そのため、「心耕部」は、他の「総務部」「水耕部」「土耕部」よりも少し権限を強く持てる仕組みになっています。それは、「心耕部」が提案したこと、つまり「入社した障害のある社員が働くことができるように現場改善を、会社全体で実現していく」という、社長はじめ全社員の確固たるモットーがあるからです。

(1) きっかけ

京丸園がユニバーサル農園になっていった経緯と、鈴木社長の思考の変化はつながっています。現在、京丸園では10代から80代の従業員１００名(うち障害のある従業員は25名)が一丸となって働いていますが、二十数年前までは、家族10人前後で切り盛りする小さな農園でした。

そのころ、近くにある養護学校(現在の特別支援学校)の先生が、京丸園を訪ねてきて、「うちの学校の生徒を雇ってもらえないでしょうか？」と言われました。鈴木社長はそれまで、障害のある人との接点がなかったこともあり、何と言って断ろうかと考えた末、芽《め》ねぎ(姫ねぎ)の栽培の過程を先生に見せることにしました。

芽ねぎの栽培には、横25センチ、高さ、奥行きともに2センチの横長の12個のスポンジに植わっている芽ねぎを、スポンジごと移しかえる作業があります。スポンジの底の部分を手で7〜8回抑えながら新たな場所におさめるという職人技が必要な作業です。それを、鈴木社長は先生にやって見せたのです。

見せ終わると先生は鈴木社長の思惑《おもわく》どおり、「これはうちの生徒には無理ですね……」と、つぶやいて帰っていかれました。

その先生が、再度京丸園を訪れたのは1週間後のことでした。「これ、使えんでしょうか？」と、先生は下敷きを持ってきて、それをうちわのように使ってスポンジの下の部分にあて、ポンと1回押し込むだけで、先週見せられた職人技の定植《ていしょく》作業をやってのけたのです。

この時の驚きが、「人が仕事に合わせる」ではなく、「仕事を人に合わせる」を学ぶきっかけになったと鈴木社長は言います。これが障害のある人を雇用するはじまりとなり、そ

姫ねぎの栽培

れ以降毎年1名ずつ障害のある人を採用しています。つまり、毎年新しい仕事の仕方が生まれているのです。

その変化を鈴木社長は、次のように話しています。

「25年前、障害のある息子さんに付き添って、母親が働きの場を求めて京丸園へ面接にやって来ました。「障害のある方が農業現場で働くのは無理」と思い込んでいた私は、採用をお断りしました。それからも何組もの親子が面接にやって来ましたが、答えは変わりませんでした。しかし、必死に頼み込む親子の熱意に押され、採用を考え始めました。特に印象に残っているのは母親の「給料はいりませんから働かせて下さい」という言葉です。どういう意味なのでしょう？　お金を稼ぐために働くと思い込んでいた私には衝撃的な一言でした。「働く」とは、どんなことなのか、本当の意味を彼らから学びました。与えられた命をこの世の中で活かすこと、役割を果たすことが彼らの「働く」意味だったことを学んだのです」

障害のある人を採用することを決めても、鈴木社長には2つ心配なことがありました。それは、他の従業員が「一緒に働きたくない」と言い出しはしないか？　ということと、もう1つ、障害のある彼らにいじわるをしないか？　ということでした。

けれどもそれが余計な心配であったことがすぐにわかることになります。従業員は、仲間となった障害のある従業員が、何ができ、何が苦手かをすぐに理解し、苦手なことに関してはエ夫をこらしたさまざまなサポートをしてくれたのです。それらは一切、鈴木さんが命じたことではありません。その空気は会社を温かくし、さらにその温かさは作業効率を高めていきました。

(2) 虫トレーラー

京丸園のモットーである「仕事を人に合わせる」は、これまでにたくさんの工夫を生み出してきました。その1つが「虫トレーラー」の開発です。

「ある女性が、特別支援学校を卒業して京丸園で働くこととなったのですが、あてにしていた仕事が思うようにできなかったため、ほうきとちりとりを手渡し、ビニールハウス内の掃除《そうじ》をお願いしました。仕事のスピードは決して速くはありませんでしたがとてもていねいに掃除をし、小さな草があれば取り除いてくれました。ある日、農場の職員から、ハウスの様子が変わってきたと報告が入りました。彼女が掃除してくれたお蔭でハウス内に雑草が無くなり、害虫が少なくなって農薬散布の回数が減ったというのです。農業で一番つらい仕事である農薬散布が、ていねいな掃除によって軽減されたのです。ほうき1本で農薬使用の回数が減るのであれば、掃除機で虫を直接捕まえればもっと農薬を減らせるかもしれないと意見が出され、虫取り掃除機「虫トレーラー」を開発しました。

「この虫取り掃除機は、作業スピードがゆっくりであればあるほど虫が捕れます。つまり、動作がゆっくりの人にお願いしたい仕事となるわけです。安全安心の農産物を食べていただく

京丸園で働く人々

虫トレーラー

お客さま、大変な農薬散布の作業から解放された私たち、ゆっくり作業すると褒《ほ》められる障害のある人、みんなの笑顔が創造されたのです。作業に人を当てはめるのではなく、人に合わせて作業をデザインするということは、決して非効率ではないことが1つ証明されました」

と、教えてくれています。その証拠に、障害者雇用を始めてからの京丸園の売上げは、右肩上がりに増えていっているのです。

2 NTTクラルティ株式会社

次に紹介するNTTクラルティは、身体、知的、精神の3障害の方々が多く働いているNTTグループの特例子会社です。

同社は、2004年7月1日設立、2020年に16年目を迎えました。社員数は2020年6月1日時点で452名。その内、障害のある社員数は発足当初の3名から340名に、何と110倍以上も増えているのです。

ここでは、人数や事業をこれだけ拡大してきた同社が行ってきた、「ともに働くための工夫」について紹介します。

(1) 会社の概要

NTTクラルティは、北海道、宮城、埼玉、神奈川、山梨、そして東京の6都道県に事務所があります。それぞれの事業所では、さまざまな障害のある社員が、ウェブアクセシビリティ診断、障害理解研修、紙媒体書類等の電子化、手漉《てす》き紙製品の製造・販売、オフィスマッサージ、そしてコールセンター業務や電気通信設備に関わる業務など、とても幅広い業務に従事しています。

東京都武蔵野市の本社には、約80名が勤務しており、障害のある社員は障害の特性により車椅子、杖、白杖《はくじょう》、補聴器などを使用して通勤しています。それぞれの人たちが、それぞれの方法で通勤し、働けるようにさまざまな工夫がされています。

(2) 駐車場と扉の工夫

会社の敷地内にある駐車場は、1台ごとの駐車スペースが「高齢者、障害者等の移動等の円滑化の促進に関する法律」の基準に合わせて横幅が広くとられています。そのスペースは車で通勤する車椅子を使用する社員が、車から降り車椅子に移乗しやすい幅になっているのです。

事務所の扉は全て引き戸で、車椅子使用者や手の力の弱い社員でも容易に開閉することができるようになっています。

横幅の広い駐車スペース

(3) 色と厚みの違うカーペット

社内にも貴重な工夫が多くあります。通路は段差がないばかりか、曲がり角はカーペットの色と厚みを変え、視覚障害のある人でも白杖の先や足から伝わる感触でわかるようになっています。

(4) ポスターの位置

社員への周知事項が書かれた紙は、社内の壁面などに貼られています。お知らせのための掲示物やポスターもさまざまな高さの人に配慮が必要ですが、ここでは車椅子使用の人でも、立った人の位置からでも見やすい高さ、１４０センチあたりに貼られています。

色と厚みの異なる社内通路のカーペット

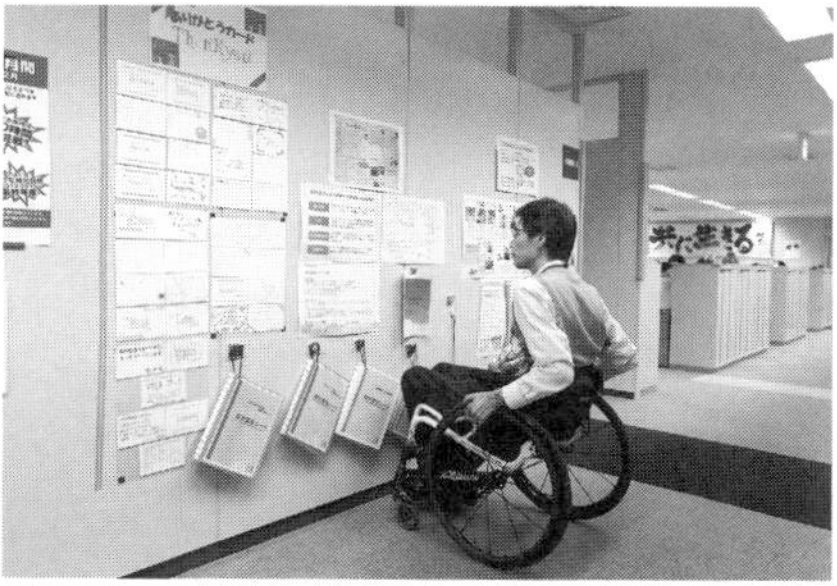

ポスターの位置・高さの配慮

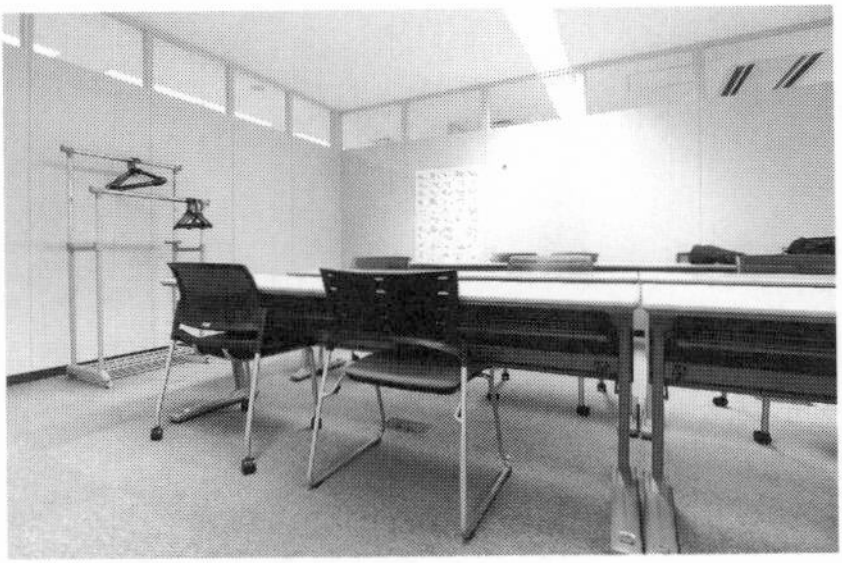
キャスターがある椅子とない椅子

(5) 会議室の椅子

会議室の椅子は、脚にキャスターが付いていて、車椅子使用者が自分で動かせるようになっています。しかし、なかにはそのキャスターがあることによって意図せず動いてしまって困る人もいることがわかり、キャスターの付いていない椅子も、各会議室に必ず1脚は備え付けられるようになりました。

(6) 会議

会議は、手話を使う聴覚障害者と、手話を使わない聴覚障害者のため、手話通訳に加え、パソコンによる要約筆記が行われています。また、視覚に障害のある社員は、読みあげソフトを使って資料の内容を確認しているため、読みあげ可能な資料を事前に配布しています。

(7) 適材適所

ハード面の工夫もさることながら、ともに働くためのソフト面の工夫もそれ以上に考えられ、実行されています。入社7年目の豊島裕輔さんは、書類の電子化作業、名刺作成、書類の封入・発送業務など、多様な仕事を行っています。外見からは見えにくい障害のため、障害の無い人と間違われることも時々あるといいます。

「自分自身は健常者と比較して、物覚えや理解が遅れる部分があるので、ふだんの業務や、同僚から言われた連絡事項などは、PCでも紙でも何でもいいからメモしようという意識を常にもっています」と、豊島さんは多様な仕事を行っているコツを話してくれました。

複数の情報保障がある会議

豊島さんがこの会社を選んだ理由を聞くと、特別支援学校時代に、ここで就労体験を行った時のことを話してくれました。

「会社が優しかったからです。それは、仕事をするうえで使うモノばかりでなく、自分に対して仕事のやり方を教えてくれる人たち全てが優しかったからです。だから、学校を卒業したらこの会社に就職したいと強く思いました」

豊島さんが言う「優しい」は、「仕事の仕方を、抽象的ではなく具体的に教えてくれる」「一方的に言うのではなく、こちらの話もしっかり聞いてくれる」といったことも含まれていると、彼の話から伝わってきました。そして、

「その優しさは7年たった今でも変わりません。今度は、自分が新しく入ってくる人たちに優しくする番だと思っています」

とも話してくれました。

同社の半沢一也社長は、

「創立から今までの日々は、「異なる障害のある社員がともに働くには?」を考え、試行錯誤の連続でした。文書作成を例にとると、個人差はありますが、視覚に障害のある社員は一字一句を詰めていくことが得意、それに対して聴覚に障害のある社員は、全体を俯瞰《ふかん》

してみることが得意、さらに精神に障害のある社員は、もっと細かな部分を確認することが得意という傾向があります。そのため、仕事の分担は、その人の得意なことをそれぞれが担うようになってきています。また、ここ数年、NTTグループ各社でも独自に障害者雇用を進めていて、弊社《へいしゃ》はその支援も行っています」

と、話してくれました。

それは、障害のある社員が、関係会社の人々とともに働くことを通じて、障害者に仕事を頼むことは決して非効率でなく、むしろ、それぞれの障害の強みを活かしていくことが業務の効率化にもつながるという意識を持つように人々を変えていった結果なのです。

3　株式会社沖ワークウェル

次に紹介する株式会社沖ワークウェル(以下、OKIワークウェル)は、通勤というハードルをITの力で克服した特例子会社です。

パソコンやインターネットの普及は、障害のある人の生活を大きく変えました。文字を音声や点字に、音声を文字に変換できるシステムが開発され、視覚や聴覚に障害のある人が他者とコミュニケーションを取ることが容易になりました。そして今は仕事をする場所も自由に選べるようになってきています。

「荒木さん、山崎さん、宮本さん、打ち合わせをしたいので会議室3番に集まっていただけますか」

OKIワークウェルの社員がパソコンの画面越しに呼びかけると、同僚の荒木さんら3人が画面上の仮想会議室に集合し、顧客に依頼されたホームページを作成する会議が始まりました。

障害を持ち、山形県や北海道、兵庫県と住む場所も離れた荒木さんらが利用しているのは、同社が開発したバーチャルオフィスシステム「ワークウェルコミュニケータ®」です。全国各地にいる社員をネットワークで結んで声をかけ合い、パソコン画面に示される仮想会議室に集まって個別に音声で話す仕組みです。

これを使えば、障害により通勤が難しい人も自宅で同僚との会議や会話に参加することができるのです。朝、自宅の仕事部屋のパソコンでシステムを立ち上げ、1〜9に分かれた仮想会議室のボタンの中から指定された1つを押すだけです。

重度の障害があっても問題ありません。手のひらなどで動かせるジョイスティック型マウス、視線の感知センサー、口にくわえてキーボードを打つためのスティックなど、パソコン操作の支援機器も豊富になってきたからです。

ワークウェルコミュニケータを使用してのテレワーク

ワークウェルコミュニケータ

同社は、情報技術（ＩＴ）企業の沖電気工業株式会社（以下、ＯＫＩ）が、障害者雇用促進法に基づく特例子会社として２００４年に設立しました。ＯＫＩが社会貢献活動を本格化した１９９６年ごろ、通勤が困難で働くことを諦《あきら》めている重度障害者が数多くいることを知り、その社会的課題を解決したいという思いからスタートしました。障害者雇用を進めるための特例子会社ですら、「通勤可能」を採用条件にするケースが多かったのです。

ＯＫＩはこれに異議を唱えました。「通勤が困難なら職場を自宅に持っていけばよい」と考え、強みのＩＴを活かしてワークウェルコミュニケータを開発し、在宅勤務を推奨《すいしょう》してきたのです。まさに逆転の発想です。

現在、ＯＫＩワークウェルの社員86名のうち障害者は8割以上を占めています。全体の6割以上が在宅勤務で、重度の障害を持つ社員が大半です。進行性の難病で身体の自由がきかなくなっても、たとえ自由になるのが小指１本でも会社や社会とつながり、家族を養っていくことができることを証明しているのです。

4 東京都障害者ＩＴ地域支援センター

次に紹介する東京都障害者ＩＴ地域支援センターは、障害者雇用を支えるＩＴ機器やソフトの情報やアドバイスを多くの機関に提供しています。

東京都文京区にある東京都障害者ＩＴ地域支援センターには、障害のある人が生活や仕事をしやすくするパソコン、タブレット、スマートフォン等のＩＴ機器や、ソフトウェアなどの展示品が約２００種類、所狭しと並んでいます。これらは、各障害のニーズに合わせ、「見ることを支援する」「入力することを支援する」「コミュニケーションを支援する」等に分かれて展示されています。

機器やソフトは最新版だけでなく、長く需要のある旧型のものも並んでいるため、ＩＴが日進月歩《にっしんげっぽ》で進化していることがわかります。今はまだ存在しないような機器や技術も、近い将来にはできるのではないかと期待できるような空間となっています。

例えば、入力した文字を合成音声で読み上げるものは、10年前はその単一機能の専用機

展示室に並べられた機器

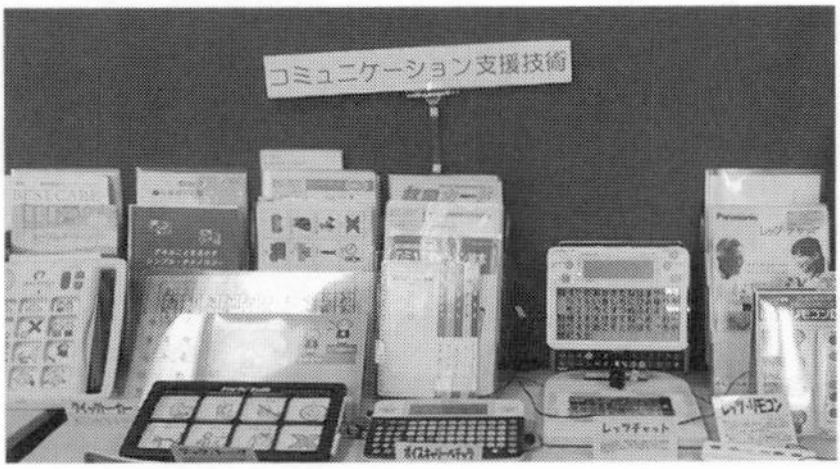

さまざまな資料

しかありませんでした。今は同機能のスマホやタブレットのアプリがあり、技術革新の速さとニーズに合った技術開発の可能性を感じます。

同センターでは、遠隔で勤務するテレワーク用の機器やソフトを置いていますが、同時に、その実践も行われています。

例えば、テレワークロボットと書かれたキャスター付きのポールには約１６０センチの高さにタブレットが取り付けられていますが、操作するのは他県の病院に入院している難病のオンラインスタッフです。ロボットを遠隔操作で動かしながら来場者への機器の説明やメール相談などの仕事を行っているのです。

同センターの堀込真理子センター長は、

「タブレットで顔を見ながらリアルタイムに会話をすることができるので、実際に一緒に事務所にいる感覚です」

と、話してくれました。以前IT機器メーカーに勤務していた堀込さんは、障害者の就労を支援する社会福祉法人東京コロニーに転職、同法人がこのセンターの運営事業を東京都から受託《じゅたく》した2004年11月から担当になり、現在に至っています。

オンラインスタッフが操作するテレワークロボット

堀込さんは、この15年間で障害のある人が使える機器やソフトが増えてきたこと、しかもそれらの多くが障害者専用の機器ではなく、一般の機器やソフトにその工夫が組み込まれてきたことを実感するとともに、入手しやすくなってきたことをうれしく思っていると話しています。同センターの需要の高まりと比例して、当初多かった視覚障害や肢体不自由の障害関連の相談に加え、発達障害、重複障害やさまざまな疾病の方からの問い合わせも増えています。

センターでは、展示室での研修や相談対応の他に、福祉用具の給付事業を行う東京都の市区町村の役所に希望を聞き、毎年出向いてIT機器やソフトの出前講習会を開くことで、その事業に携わる職員の情報や知識を増やしています。キーボード1つが教育や仕事の効率に大きく影響することを地域の福祉支援者に知ってもらうためです。

機器や技術はそこにあるだけではダメで、一人一人にあった利用のサポートが大事だとセンター長は言います。

あらためて職場の機器やサポートの見直しをされてはどうでしょう。

5 東京バス株式会社

赤羽駅発、羽田空港行のリムジンバスが、午前7時55分、定刻通りに出発すると、車掌《しゃしょう》がアナウンス、その最後に「なお、このバスの運転士は、補聴器を付けて運転しています」と乗客に伝えました。運転士の松山建也さんは、補聴器を装着し乗客を乗せることのできる大型自動車第二種免許を取得し、２０１７年12月8日に、全国で初めて、聴覚障害者で路線バスの運転士になった人です。

(1) バスの運転士になるまで

ろう学校に通っていた松山さんが、運転士になりたいと思ったのは、幼少時に駅のロータリーのカーブで見事なハンドルさばきをするバスの運転士を見たことがきっかけでした。しかし、ろう学校在学中には、「バスの運転には、補聴器を装着せずに、10メートルの距離で90デシベルの音が聞こえなくてはならない」という法律が、彼の夢の前に立ちはだかっていました。

そのため、金融関係の特例子会社に就職しましたが、マイホームを持つという夢があり、給料や待遇面で転職を考え、運転に関わる仕事、トラックドライバーへ転職を考えました。物流会社に転職にしたのが２０１５年、22歳の時でした。最初は戸惑っていた会社側も、誠実かつ安全運転をする彼の仕事ぶりを徐々に認めはじめました。そして23歳の時にマイホームを持つ夢も叶えました。

転機が訪れたのは2016年4月、法律の改正により「補聴器を装着したままで、聞くことができる」に、バスの運転士の条件が変わったことです。さっそく大型二種免許を取得しバス会社の試験を受けました。

4社受けましたが、いずれも不合格。「前例がない」「耳の不自由な人は、車内と社内外でコミュニケーションがとれず危険」という理由でした。更に5社目に挑みましたが、結果は同じでした。5社目の東京バス株式会社からも不合格通知を受け取った松山さんは、福祉関係や学校関係のスクールバスの運転士に方向転換する気持ちを持ち始めていました。

その時、松山さんを不採用にしたことを再考する人がいました。東京バスの西村晴成社長です。面接後、西村社長は一晩悩みました。「自分が、彼を採用することにトライしないで、誰がトライするのだ」と考えたのです。

翌朝、その気持ちを同社の役員に伝え、再度の面接が行われ、その結果、聴覚に障害のあるバスの運転士が日本で初めて誕生したのです。

⑵ 社員旅行で運転

入社後、彼が会社に溶け込むことを加速させたのは、入社した年の暮れに行われた湯河原への社員旅行でした。社長や社員からの希望もあり、その社員旅行の運転士を松山さんが務めたのです。

ドライブインで休憩するたびに、乗降する先輩たちから、「ありがとう」「お疲れさま」「よろしくお願いします」などの言葉が、手話で松山さんに伝えられました。嬉しかったのは、スムーズな運転を、先輩たちから褒められたことでした。この社員旅行を通じて、松山さんは会社に更に深く溶け込み、そして他の社員、幹部の心が

行き先を文字で確認できる
行き先確認カード

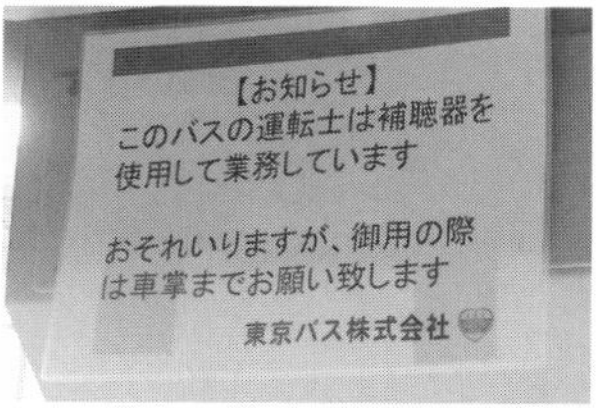
【お知らせ】
このバスの運転士は補聴器を
使用して業務しています
おそれいりますが、御用の際
は車掌までお願い致します
東京バス株式会社
車内の表示

「聴覚に障害があってもバスの運転はできる」に変わっていったのです。

今では、彼の運転するバスに乗った人たちから「とても良い乗り心地でした」といった手紙が来たり、常連客のなかには、「おはよう！」「ありがとう！」「よろしくお願いします」と、手話を使って伝えている人も多いとのことです。

補聴器を装着しているバスの運転士は、しっかり社会に受け止められているのです。

6 （福）きょうされん　リサイクル洗びんセンター

地球温暖化対策の一貫として1997年4月に施行された「容器包装リサイクル法」は、ガラス製容器、ペットボトル、紙製容器包装、プラスチック製容器包装など、家庭から出るゴミの容積の6割をしめる容器包装廃棄物を資源として再利用することで、ごみの減量化を図るために作られた法律です。

この法律のもとに市民はごみの分別をし、自治体は分別されたものの収集を、そして事業者は、再商品化を行う役目を担っています。この事業者の1つに社会福祉法人きょうされんリサイクル洗びんセンターがあります。

　東京都昭島市にある社会福祉法人きょうされん(旧称：共同作業所全国連絡会)の敷地には、パレットに何段にも積まれた瓶《びん》が所狭しと並んでいます。リサイクル洗びんセンターの第1事業部は、1994年4月1日に事業を開始しました。

　発端は、食料品、日常生活用製品等を会員宅に配達している東都生活協同組合が、瓶の回収を行い、洗びんして再利用できるようにする機関を探していたところから始まります。同組合は、社会貢献としての意義も併《あわ》せて考え、小規模作業所の全国連絡会である「きょうされん」に声をかけたのです。

　きょうされんは、洗びんの経験はありませんでしたが、知的障害や精神障害などさまざまな障害のある人たちが同じ場所でともに働くことができる、本格的な働く場づくりになればと、その提案を受け、設立の準備が始まったのです。

　その準備には、ハード、ソフト両面において多くの困難に直面しましたが、障害の種別や程度を超えて働ける場を作るという目標と志が、その困難の一つ一つを解決していきました。

(1) 洗びんセンターの仕事

洗びんセンターの仕事は、9つの作業に分かれています。

給びん作業

① 積み下ろし作業

未洗い瓶の積み下ろしを行い、コンベアーへ未洗い瓶を供給していきます。繁忙期は一升瓶が4000ケースを超えることもあります。効率的に洗びんを行うためにも、常に瓶を供給していくことが重要となっています。

② 給びん作業

ケースから瓶を取り出し、コンベアーへ乗せます。通常4人~5人がこの配置場所に入り、機械の速度に合わせペダル操作を行い、瓶を供給していきます。瓶をコンベアーに乗せた後に、空いたケースは別のコンベアーを通り、ケース洗浄機(自動洗函機)で洗浄していきます。

投入作業

③ケース処理作業

洗函機から出てくる一升瓶のケースの選別(汚れ残し等)を目視で行い、その後、再度コンベアー上で高圧洗浄機を使い、洗浄します。そうしてきれいになったケースは、後に紹介する「取り出し作業」で洗い上がった瓶を入れ、製品となります。洗浄されたケースの移動は複雑になることも多いので、1日の生産予定を把握し、ケースの移動・用意を日々行っています。

④投入作業

コンベアーで流れてきた瓶を洗びん機へ投入します。

瓶の種類ごとに、カウンターで本数を確認しながら、次の投入瓶に移る手順で作業を行います。瓶によって大きさが異なるため、ガイド交換で、瓶が安定して洗びん機に入っていくように調整していきます。

排びん口

⑤ 排びん口

洗びん機で洗った瓶が排出される場所です。洗いきれない瓶のラベルやのりあとの処理を行ったり、異種瓶の検査も行います。状況によって臨機応変に調整を行います。

⑥ 検査

洗い終わった瓶がきれいに洗えているか、傷や欠けがないか、異種瓶が混ざっていないかの検査を行います。製品検査マニュアルに沿って、検査がされていきます。

⑦取り出し作業

洗い上がった瓶をケースへ収納します。一升瓶は先ほどのケース処理作業で洗った専用ケース、小瓶等はカートン（ダンボール）へ収納をします。こうして出来上がった製品瓶を、パレットへ積む工程に向かうコンベアーに載せていきます。

取り出し作業

⑧積み上げ作業

ケースに入れた瓶をパレットへ積み上げ、袋とラップで包装をします。そのままの状態で納品をするため、積み上げには細心の注意を払っています。積み方は、メーカーの指示に従ったきれいな積み上げを徹底しています。こうして積み上がった製品を納めていきます。

これらのどの作業も連動しているため、大きな共同作業になるわけです。そのため、どこかで作業でつかえると、次の作業に影響が出てくるのです。

⑵ 事業の経過

事業開始から24年たった2018年には、生協関係の瓶が約150万本、瓶を回収する業者からの瓶が約130万本、酒造メーカーの瓶を約130万本、扱うようになりました。瓶の種類も1・8リットル瓶からお燗《かん》瓶(180ミリリットル)まで幅広く洗浄しています。

ここまでくるのには、さまざまな困難がありました。開設当初は、毎日運ばれてくる7000本の使用済の瓶をスムーズに処理できず、ストックヤードとして使用していた屋上が、未処理の瓶が積まれたカゴ車で埋め尽くされるといった状態でした。

また、全自動洗瓶機のトラブルを知らせるアラームが1日に何度も鳴り、そのたびに機械を止めて専門業者を呼ぶため、毎月の目標である15万本にはとても届かない状態でした。

さらに障害のある利用者(作業をする人)のなかには、「全自動洗瓶機の前で、仕事に取り掛かれない」「瓶を機械まで運ぶのがゆっくりすぎて間に合わない」「瓶を叩きつけるようにおいてしまう」などの状態の人もいたのです。

しかしそれぞれが仕事に慣れてきたことにより、4月に2万6000本だった処理量が、5月には4万9000本、6月には6万8000本、そして7月には10万本に到達したのです。

トラブルを知らせるアラームが鳴っても、自分たちで直すことができるようになったことで作業の流れがスムーズになりました。また、多くの見学者からの励ましの声も力になり、その年の11月には目標の月15万本に到達することができたのです。

(3) さらなる難問

目標数には到達しましたが、飲料の容器はガラス瓶から安価なペットボトルや缶が増えたことで数が減り、東都生活協同組合の瓶だけでは利益がでない状態でした。そこで、今まで外部に依頼していた営業活動と物流(トラックの購入と運転)を、自分たちで行うことにしたのです。

営業と物流を自ら行うことで、発注元のお客さんたちと直接話をすることができ、相手が何を望んでいるかがわかり、相手の希望に合わせた仕事を行うことができるようになりました。それによって、取引する企業が増えていったのです。

さらには扱う物を瓶だけではなく樹脂のコップ等にも広げています。ここには、瓶の回収から洗浄、そして納品といった工程を、何年も行ってきた経験がしっかり生きています。

洗びんセンターのセンター長を長年務めてきた川村民枝さんは、これまでを振り返って、「苦しい時も多かったけれど、今までやってこられたのは、2つのことを決して手放さなかったからです」

と言います。その2つとは、「障害のある利用者が主人公」であることを常に考え、どんな困難にぶつかっても「みんなで考えてみんなで決める」ということを大切にしてきたことだと教えてくれました。

7 株式会社特殊衣料

次に紹介する株式会社特殊衣料は、重度から軽度の障害者まで働ける場を作り出していった企業です。

株式会社特殊衣料のロゴマークは、「人」を表す「●」と、その人を「支える」「創り出す」「思い描く」を表す３つの輪がつながることを示しています。

ＪＲ北海道の発寒《はっさむ》駅から徒歩20分の場所に位置する同社は、リネンサプライ事業を行うために設立された民間企業です。創業から40年たった２０１９年11月現在、同社の従業員はパートさんを含めて１７７名、その内、知的障害者25名、身体障害者２名、聴覚障害者１名、精神障害者１名、引きこもりだった人４名です。全ての人が、ロゴマークで示されている「大切な目的」に向かってつながりながら働いています。

株式会社特殊衣料　ロゴマーク

１９７９年、株式会社特殊衣料は病院や施設向けの大人用布おむつのクリーニング事業を行う会社として始まりました。その後、布おむつだけではなく、寝間着《ねまき》などの衣類、シーツ、タオル類のクリーニングなども行うようになりました。

そのなかで、患者さんには既製品では合わないことがあり、看護師さんたちから「こういうモノはありませんか？」という問い合わせや、「こういうモノがほしい」という要望を受けるようになりました。

また、サイズや仕様が合わないモノは、看護師さんたちが仕事の合間をぬって、患者さんに合うように手作りしていることを聞きました。けれども専用のミシンもないため、本格的に縫製《ほうせい》を行うことができず、限られた改良しかできないことも知りました。

同社のリネンサプライ事業の業務のなかには、新たなモノを作ったり、改良することは入っていません。けれども、同社内には、綻《ほころ》んだところを直すためのミシンがあり、ミシンを使って縫製する人がいます。同社の大きな分岐点は、一つ一つは少ないニーズだけれども、その人たちにとってはとても必要な、既製品にはない仕様のモノを作ることを決めたことでした。

当時、現場からの要望をもとに作ったのが、食べこぼしをキャッチする食事エプロンや着脱しやすい肌着などです。こういったことをくり返すことにより、現場の方が本当に必要としているモノが徐々にわかってきました。

(1) 保護帽

新たなモノを作る技術はその後、同社の大きな柱となる仕事に発展しました。その代表となる製品が、転倒の際に頭を守るための保護帽です。

開発のきっかけは、てんかんのある社員が同社に入社したことと、ちょうど同じ時期に、お子さんにてんかんがある親御《おやご》さんから、「転倒した時に頭を守ってくれる保護帽はありませんか？」との懇願《こんがん》に近い問い合わせを受けたことでした。

ヘルメット型の保護帽はすでにありましたが、機能性重視で重たいため、身体のバランスが保ちにくいことと、そして洗えない素材が多く、衛生面でも課題がありました。

軽くて通気性があり、洗える保護帽を希望されていたのですが、実は、それまでに同社では帽子を作った経験がありませんでした。けれども、同社の、「少数であっても困っている人のニーズに「つながる」というモットーから、他の製品開発で培《つちか》ってきた技術を活かし、試作を繰り返し、ついにニーズにあった保護帽を完成させました。できあがった保護帽は２人の手に渡り、不安や恐怖を安心に変えることができたのです。

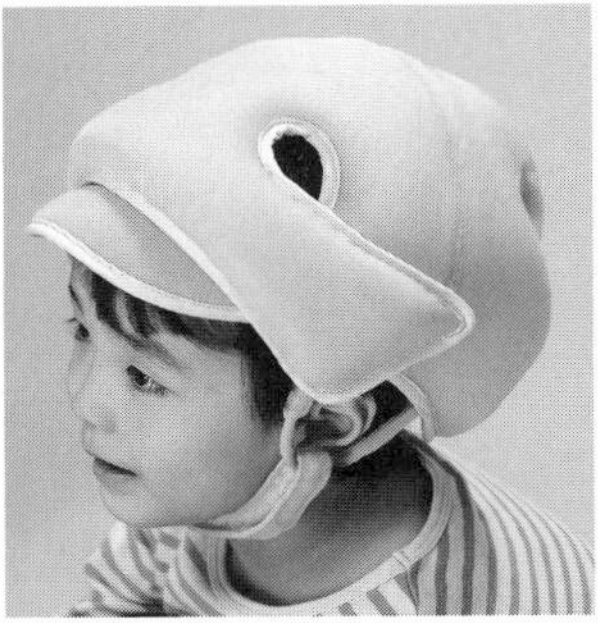

アボネット

アボネットの紅白帽

そして2000年に転機が訪れます。同社と札幌市経済局、そして札幌市立高等専門学校（現在の札幌市立大学）で、産学官連携による「福祉用具デザイン開発・研究プロジェクト」が発足し、2002年にはそれまでの保護帽に足りなかったデザイン性を兼ね備えた新しい保護帽「アボネットシリーズ」が誕生しました。

北海道では、冬の早い時期から広域にわたって雪が降り積もり、道が凍ります。すると、転倒をする危険性が多くなります。一般的な帽子の中に入れる衝撃緩衝材《しょうげきかんしょうざい》の量や位置の調整をすることによって、外見は普通の帽子だけれども、頭部を守ることができる保護帽ができたのです。

サイズやデザインにも、それぞれのニーズに合うものを選択できるようにしたところ、多くの人の需要につながったのです。

アボネットと名付けられたこの保護帽の「頭を守る要素」は、てんかんのある人以外のニーズにも合うことがわかりました。近年では、軽作業を行う工場などで作業中の事故対策のために、頭部を保護する作業帽として採用されています。

現在、作業帽の中に入れることができ、かつ強い衝撃を緩和できるインナータイプの保護帽の開発にも取り組んでいます。てんかんのある人も、異なるデザインの需要がありです。学校の体育の授業や運動会などでかぶる紅白の帽子や水泳帽も、衝撃緩衝材が入った紅白帽や水泳帽であれば、他の生徒さんと帽子が異なるという理由で特別視されることはありません。

さらに、抗がん剤を使用して頭髪を失った人が帽子をかぶったとき、頭皮に密着せず、髪の毛がある人と同じようにフワッとかぶれるような工夫が施された保護帽も、アボネットのシリーズにはそろっています。

同社では技術的な解決だけでなく、心理面でもその人の立場に立った、きめ細やかで貴重な工夫が、特別なこととしてではなく行われているのです。

『ともにはたらく　マナー編』

(2)『ともにはたらく』

ここで紹介したように、株式会社特殊衣料の従業員はパートさんも含めて１７７名、そのうち29名が障害のある人です。この人数は国の定める障害者雇用の法定雇用率（２・２％）をはるかに超えており、しかもその人たちの多くが長く定着し、貴重な労働力となっているのです。

同社が障害者雇用を始めたきっかけは、会社設立から9年たった１９９０年、高等支援学校から生徒さんの実習依頼があり、それを受け入れたことでした。

当時専務だった池田啓子さん（現在は会長）は、実習で来られた生徒さんが明るく、周《まわ》りの人たちにもその明るさを伝える力を持っていたと振り返って話しています。その時、実習で受け入れた人はその後社員となり、今でもリネンサプライの部署で大きな戦力となって働いています。

それだけではなく、多くの人が同社に定着して働いているのには、同社が長年の経験で培ってきたいくつもの貴重な工夫が関係しているのです。

1つ目の工夫は、『ともにはたらく――知的障がい者と支援者のためのマナー編』というマニュアルの存在です。入社した人は、これで、「働くこと」を学びます。20ページからなるこのマニュアルは、全てのページにイラストがあり漢字にはルビがついていて、誰にでも理解しやすくなっています。マニュアルの冒頭では、みんなで力を合わせて行うのが仕事であり、「働くこと」であることが示され、決められたルールを守ることの重要性が示されています。続いて、各場面でのルールが書かれています。「出勤時間と通勤」「仕事を始める前に」「急な休みの連絡」「作業中の話」などです。

このマニュアルには、障害のある当事者用のほかにもう一冊、支援者用があります。支援者用のマニュアルの目次は当事者用と同じですが、その項目ごとに、障害のある人ができなかった場合のケアの仕方がいくつか複数の方法で、しかも詳細に書かれています。

このマニュアルは、同社が長年試行錯誤しながら実践してきた「障がいのある人とともに働く」の経験から得た工夫の集大成です。知り得たノウハウを社会に広く伝え、更にバージョンアップしていくことに意味があると考え、貴重なノウハウが詰まったこのマニュアルを実費で販売し、障害者雇用でとまどっている多くの人々や機関がいつでも購入できる仕組みにしたのです。

2つ目の工夫は、ジョブコーチを社内に積極的に配置することです。

現在、同社ではジョブコーチが2つの部署に1名ずつ配置されています。ジョブコーチは、障害を持つ人の働く様子を見ながら、困難な仕事の際は、どのような工夫が必要かなどを考え、ていねいに支援しています。本人とのコミュニケーションはもちろん、保護者とのコミュニケーションをとるのも、ジョブコーチの役割の1つです。

3つ目の工夫は、1996年から始めた、保護者が集《つど》う会「やよい会」の存在です。

この会が発足する前は、コミュニケーションが足りないことからくるトラブルがありました。けれども、障害のある従業員の保護者が集まれる機会を作ったことにより、コミュニケーション不足によるトラブルは激減したのです。保護者同士が集まることで、共通の課題に対する解決方法も共有することができたのです。

最後の工夫は、職場改善の提案の仕組みです。これは、障害の有無にかかわらず、従業員全員に与えられている権利です。知的に障害のある人にとっては、抽象的な指示や表示はわかりづらいことが多くあります。そのため、話して伝えるだけでなく、わかりやすい絵や図形、色などで、その場その場でカード状にして表示するなど、さまざまな提案をして日々、改善しています。

棚に置く物を具体的に書いて表示してある

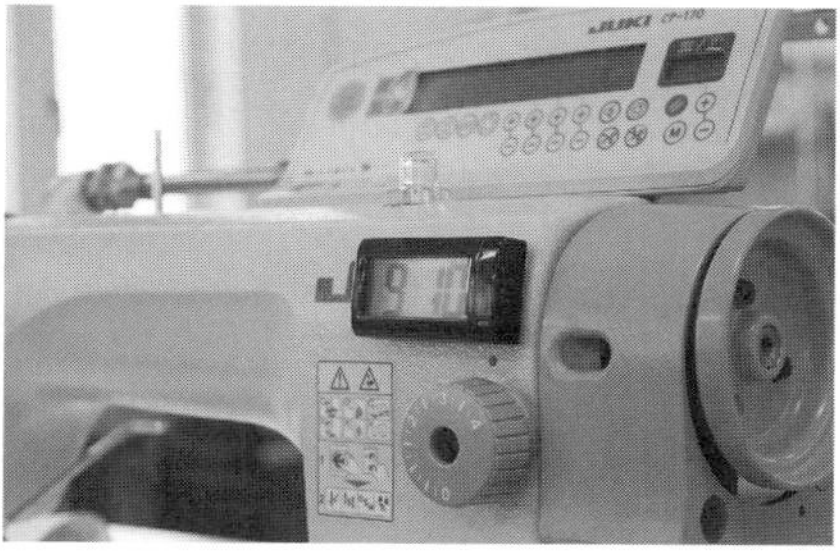

時計の付いたミシン

例えば、ある機器の温度を「人肌くらいがちょうど良い」といった指示が口頭のみで行われていたのを、まずは「書いたものを表示する」「表示する言葉も、人肌といった抽象的な言い回しではなく、「35度から40度」といったように具体的に書く」ことが提案されました。その提案をしたのは障害のある従業員です。私が訪問した時には、すでに、その案は採用され、温度設定が数字で示されていました。

可視化は、さまざまなところで行われています。ミシンには、聴覚に障害のある人のために、時計が貼り付けてあり、休憩時や終業時のチャイムが聞こえなくても、今の時刻がわかる工夫がされています。

(3) 社会福祉法人「ともに福祉会」

株式会社特殊衣料の社屋の隣には、2005年に設立された社会福祉法人「ともに福祉会」があります。特殊衣料の会長が理事長を兼務する社会福祉法人「ともに福祉会」は、障害のある人を働く場とつなげることを目的に、特殊衣料が大きな支援をして設立した法人です。

同法人が2015年に設立10周年を記念して発行した『10年の記録』に、「ともに福祉会を設立した目的は、知的障がいのある人たちが安心して働くための入り口と出口を作ることでした。社会人としてのマナーを習得し、働くための訓練を重ねて一般就労に繋げていくサポート体制の充実を図ること。もう一つは、企業での就労が困難になった人の受け皿として、心豊かに過ごせる日中活動の場所を創ること。この二つが大きな目的でした」と池田啓子理事長は書いています。そして、社会福祉法人を設立した背景に、株式会社だけではなく、永続できる公的機関が連携していく必要があると考え、法人を設立した目的も伝えています。

2つの目的は現在、確実に身を結び、共生社会の実現に大きく寄与しています。

参考文献

【京丸園】

「モノごころヒト語り　虫取り掃除機」星川安之、日本経済新聞夕刊、２０１７年5月27日

【ＮＴＴクラルティ】

「モノごころヒト語り　ユニバーサルな職場」星川安之、日本経済新聞夕刊、２０１９年3月30日

【ＯＫＩワークウェル】

「モノごころヒト語り　音声会議システム」星川安之、日本経済新聞夕刊、２０１９年6月1日

【東京都障害者ＩＴ地域支援センター】

「アクセシブルデザインの世界、第80回東京都障害者ＩＴ地域支援センター」星川安之、『厚生福祉』時事通信社、２０１９年6月25日

【東京バス】

「より多くの人が使えるモノ・サービス１１２回、東京バスの補聴器を装着したリムジンバス運転士」星川安之、『福祉介護ＴＥＣＨＮＯプラス』日本工業出版社、２０１９年４月

「アクセシブルデザインの世界、第75回補聴器を装着したバス運転士」星川安之、『厚生福祉』時事通信社２０１９年４月26日

【きょうされん　リサイクル洗びんセンター】
「スタートラインズ」社会福祉法人きょうされん、２０１４年9月29日

【特殊衣料】
「モノごころヒト語り　保護帽」星川安之、日本経済新聞夕刊、２０１８年3月24日

第3章

希望する誰もが働くために

1 くり返してはならないあやまち

(1) 政策が先、意識は後

人間にとっての労働の意味、そして障害者にとって働くことがいかに大切であるかを第1章で述べ、これに続いて、第2章では、特色と実績のある具体的な事例を紹介してきました。問題は、こうした「働く意味」を果たしてどれくらいの障害者が享受《きょうじゅ》できているのかです。残念ながらまだまだ少数派と言っていいでしょう。第2章で掲げた事例の域にあるのは、全体の割合からすれば多くはありません。もっとも、障害のない人もみんながみんな、労働の意味を享受できているかとなるとそうとは言えません。それでも障害のある人と比べれば、その割合は格段に高いように思います。

そこで、本章では、どうすれば障害者が「働く意味」を享受できるのか、労働施策はどういう方向に向かうべきか、この点に重点を置きます。すなわち、障害者の労働分野の好転へのすじ道を明確にすることです。

実は、このことについての議論と研究は、これまでもずいぶんと重ねられてきました。表し方は多様ですが、よくよくみていくと、大きく2つに集約できるように思います。1つは社会の側の意識の問題であり、的を射た政策を打ち立てることがもう1つです。双方を追い求めるなかに、障害者の労働分野のあるべき姿がみえてくるに違いありません。

なお、「意識と政策」の大切さについては、特段目新しいテーマではありません。医療や教育、生活全般、情報・コミュニケーション、建物・交通機関など、障害者に関わるあらゆる分野にあてはまります。ただし、労働にはもう1つ固有のテーマが重なります。それは、「自力で社会的な価値を生み出す」という、労働ならではの特質が備わることです。そう考えると、「意識と政策」と労働の関係は、障害分野全般との共通性と併《あわ》せて、労働ならではの視点が加わるように思います。

ひと口に「意識と政策」と言いましたが、実はこの2つの関係には重要な押さえどころがあります。順番が決定的な意味を持つことになります。あくまでも、政策が先、意識は後なのです。

もちろん、労働という他者との関わりの強い営みにあって、人びとの意識が大切であることは言うまでもありません。ところが、意識というのは、最初から形成されていたり、揺るぎないものがあるわけではありません。個人の信念や努力のみで醸成《じょうせい》されるものでもありません。環境に左右される面が大きいのです。

一般的に考えると、良質な環境において、大事な気付きが得られ、ポジティブな意識が呼び覚まされるように思います。その時々の政策もまた環境の重要な要素であり、政策の中核を成す法律や制度は人びとの意識に深く作用することになるでしょう。

例えば、障害者雇用政策の代表格に第１章でも触れた法定雇用率制度があります。これは、従業員に占める障害者の割合を一定以上にすることを事業主に義務づけた制度です。同制度の創設のころは、「うちはそんなものがなくてもきちんと雇用する」という声もあったといいます。みんながみんなそうあってくれればいいですが、現実は甘くはありません。実際には、「法律だから仕方がない」と、しぶしぶの心持ちで障害者雇用に踏み出すところが大半でした。

結果的に、とくに達成義務を伴った法定雇用率に改正された後の威力は目を見張るものでした。多くの企業で障害者が採用されたのです。当然ながら直に障害者に接する機会が増えます。そこかしこで障害者観の変化が始まっていくのです。

もちろん、「うちは法定雇用率がなくてもきちんと雇用する」という考え方は尊いかもしれません。高い意識と言えるでしょう。ただし、弱点も少なくありません。せっかくの高い意識や優れた実践が広がらないことであり、何よりも熱心な事業主が退いた後の保証がないことです。

その点で政策には普遍性と継続性が備わります。普遍性で言うならば、政策が国の所管であれば(典型的なのは法律)、日本列島のどこででも行える可能性が出てきます。継続性とは安定性があるということであり、個人の熱意に委《ゆだ》ねるのではなく、誰が事業主になろうと一定の水準が保たれることになります。こうした政策の一つ一つが、あるいは政策のまとまりが、意識改革の端緒《たんしょ》になったり、それを維持する力になるのです。

ここからは、その大事な政策面に力点を置きながら障害者の労働分野を考えてみましょう。最初に障害者の労働分野についての国の内外の大きな流れをとらえ、そのうえで政策のあるべき方向と具体策を述べます。

⑵ 働けない者はガス室送り

政策の大切さについて、もう1点触れておきたいことがあります。それは、誤った政策がもたらした過去の悲劇です。「忘れられた歴史はくり返す」という言い方がありますが、二度と負の遺産を残すことがあってはなりません。そのためには、誤りを許さない強靭《きょうじん》な政策、すなわち当事者本位の政策を打ち立てることです。イメージで言えば、強震に耐えられる地中深く打ち込んだ太い杭《くい》のようなものかもしれません。

障害者にまつわる「誤った歴史」と言えば、真っ先に想起《そうき》させられるのがナチス・ドイツによる凶行《きょうこう》です。なかでも「T４作戦」はすさまじいものでした。「T４作戦」は価値なき生命の抹殺《まっさつ》を容認する作戦で、おびただしい数の重度障害者がガス室に送り込まれたのです(１９３９―１９４５年)。犠牲者の数は20万人とも、30万人以上とも言われています。この時のガス室送りの基準の１つが、「働けない者」でした。ヒトラーが発布した「T４作戦」の命令書(発布日は第２次世界大戦の開戦日)には、明確にそう記されています。

戦時下の日本では記録の上からは大量殺戮《さつりく》の事実は確認できません。しかし、障害者に対する仕打ちは容赦ないものでした。「ごくつぶし」(食べるだけで役に立たないという意味)や「非国民」などの呼称は普通に用いられていたと言います。そこには兵隊になれない者、すなわち働けない者への強烈な差別や侮蔑《ぶべつ》が込められていました。同じく日本中の精神病院(現在の精神科病院)において、「役立たず(働けない者)に食は要らない」とばかりに食糧供給が制限され、「栄養失調」という死因で考えられないほどの餓死者《がししゃ》を出しています(東京都立松沢病院関連の資料などから)。

このような悲惨《ひさん》な歴史からみえてくるものは何でしょうか。生産性のみを重んじる価値基準がいかに恐ろしいかです。

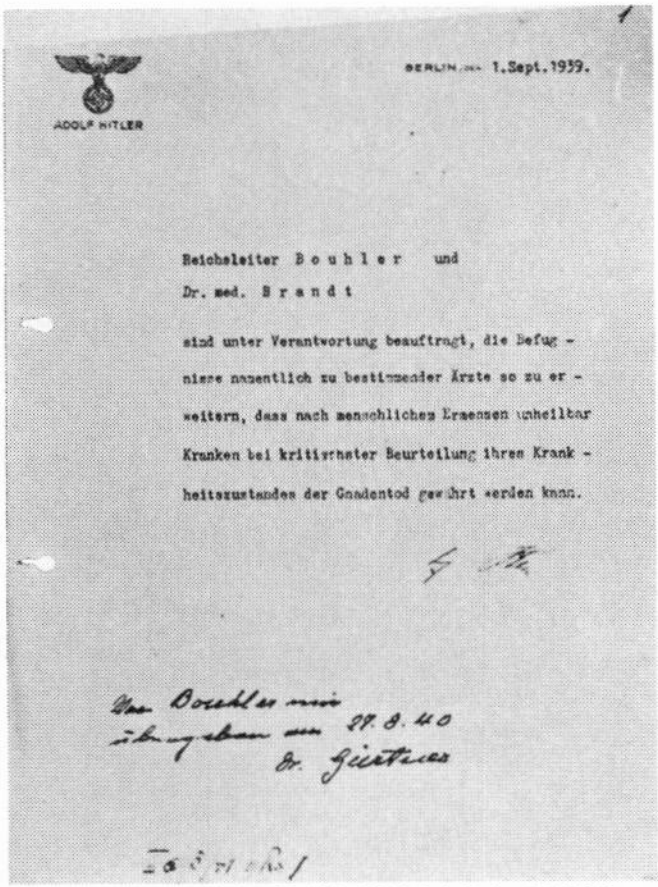
ADOLF HITLER

BERLIN, den 1.Sept.1939.

Reichsleiter Bouhler und
Dr. med. Brandt

sind unter Verantwortung beauftragt, die Befug - nisse namentlich zu bestimmender Ärzte so zu er - weitern, dass nach menschlichem Ermessen unheilbar Kranken bei kritischster Beurteilung ihres Krank - heitszustandes der Gnadentod gewährt werden kann.

「T4 作戦」に関するヒトラーの命令書. 1939 年 9 月 1 日付. 殺害の対象として「働けない者」を明示

障害の重い人の多くは、「働けない者」とされ、政策面から排除や差別、抹殺の対象とされました。障害者だけではなく、症状の重い病人も標的となっています。戦況の推移によっては傷病兵や高齢者にまで及んだのでは、とするキリスト教関係者(ドイツ)らの証言も残っています。なお、障害者の大量虐殺で得られた知見や方法が、後のあの600万人にのぼるユダヤ人らの大虐殺につながったことも明らかになっています。

「誤った歴史」をくり返してはなりません。そのためにはさまざまな取り組みが大事になりますが、その1つに障害者の労働分野があげられます。働くことを希望する障害者に、また、障害の重い人の労働保障に、新たな道を開くことです。

障害者殺害施設(ドイツ・ハダマー)の地下室にて

考え方としては、「生産性のみの労働」から解き放たれることです。具体的には、第1章の「人間はなぜ働くのか」で述べた、自分らしさの発揮(自己実現)や多くの人とのつながり(社会連帯)を忘れない働き方です。

殺害後に待っていたのは解剖台．大きさを推し測る筆者

こうした働き方の大切さは、障害の重い人だけの問題ではありません。慢性的な疾患のある人、ひきこもりと言われている人、若年性の認知症にある人、高齢者、他にも何らかの理由で働くことの困難な人など、働くことを希望する人のすべてに共通します。このことを実現するなかに、新たな社会像が浮かび上がり、「誤った歴史」を遠ざける力をみることができると言えるでしょう。

ここで、1つ述べておきたいことがあります。それは生産性をどうとらえるかです。結論から言えば、労働の根幹に生産性が据えられることは自明です、生産性をないがしろにする労働などあり得ません。問題にしているのは、「生産性」の善し悪しではなく、生産性至上主義や生産性一辺倒《いっぺんとう》といったバランスを欠いた考え方についてです。

こうした考え方が強まれば、働く力の十分でない人が肩身の狭い思いをすることになり、より突き進むことになれば、「負の歴史」に逆戻りしかねません。さらに言うならば、障害や病気の状態で働くことのかなわない人は、労働からの排除だけではなく存在そのものが否定されてしまうのです。

障害者の労働を考えていくうえで、政策の大切さを述べてきましたが、整理すると重要な視点は2点です。１つは、生産性一辺倒ではない働き方の追求であり、いま1つは、障害者が労働に参加するために、生産性の不足分を制度的にいかに補うかということです。

2 憲法が示す3つのキーワード

障害のある人の労働を政策面から考えようとすると、国の内外のさまざまな規範や基準が思い浮かびます。そんななかで、まずベースに据えるべきは日本国憲法です。憲法は、障害当事者や関係者の理念面や精神面の支えになってくれるだけでなく、進むべき方向を指し示してくれます。具体的には、次の3点があげられます。①権利性、②平等性、③固有性です。これらの3点が、政策の大枠を形成するキーワードとなるでしょう。それぞれについて簡単に述べます。

まず、権利性ですが、このことを明瞭に表しているのが憲法第27条です。そこには、「すべて国民は、勤労の権利を有し、義務を負う」とあります。ここでの勤労は、労働や就労と同義であり、「すべて国民は」に障害者が含まれることは自明です。

第27条の精神をひと口に言うと、「勤労の権利」は、市民一人一人の固有の権利であり、それが損なわれたり薄められたりすることがあってはならないとしています。「義務を負う」は、決して強制を意味するのではありません。「主権者として、労働を通して社会の支え手になろう」と解してよいでしょう。

一見して当たり前にみえる第27条ですが、その本質は奥深いものだと言えます。権利性の薄い障害者の労働分野にあって、その展望を開くうえで心強い存在です。

次に、平等性についてです。言い換えれば、差別や偏見をなくすことです。憲法第14条には、「すべて国民は、法の下に平等であって、人種、信条、性別、社会的身分又は門地により、政治的、経済的又は社会的関係において、差別されない」とあります。国連の障害者権利条約や、障害者基本法(2011年改正)に基づいて、2016年からは、障害者差別解消法や障害者雇用促進法の差別禁止条項が施行されました。しかし、差別や偏見をなくしたり減らすうえでの本質的な変化にはつながっていません。

現状にあって、例えば賃金ひとつをとってみても格差は歴然としています。雇用の場面での障害のある人とない人との格差は固定化しており(身体障害者以外の障害者が総じて低い)、雇用関係にある人と福祉的就労に在籍している人との差も大きいと言えます。そもそも、就業率そのものに国民全体と障害者の間で大きな開きがあるのです。同じ生産年齢人口(15歳から64歳)で比較すると、国民全体の就業率は78パーセント、これに対して障害者のそれは33パーセントです(最新の政府統計からの割り出し)。

平等性を確保するための考え方は明白です。障害による生産性の不足分を政策的にどう補うかに尽きます。これを突き詰めるなかに、平等性を実質化するための多様な方法が浮かび上がるに違いありません。

3つ目の固有性についてですが、労働においても個々の異なった条件、すなわち「固有の尊厳」が非常に大切になります。一人一人の状態は、障害の種別や程度、年齢や性別によってまちまちです。また、第1章で述べた「障害の社会モデル」の視点に立てば、家庭や地域の条件によっても障害の表れ方や感じ方は異なります。

障害のある人が安定して働き続けるには、労働施策が大切となります。しかし、労働施策のみで安定性が確保できるわけではありません。通勤や職場での人的な支援、コミュニケーションの面でも支援が必要となります。障害によっては、定期通院などの医療ケアも欠かせません。労働施策を主軸としながら、個々の状態とニーズに応じた多様な分野が折り重なるように準備されなければならないのです。

憲法第13条には、「すべて国民は、個人として尊重される」とあります。「障害者」とひとくくりにするのではなく、「一人一人に応じた支援とは何か」とする固有性の視点が決定的に重要になると言えるでしょう。

3 障害者の労働分野をめぐる国際潮流

(1) ILOと障害のある人

憲法に続いてあげたいのが、2つの潮流です。1つは、国際的な動きであり、国内の動きがもう１つとなります。わけても、国際動向に込められた理念や指針は、日本の関連施策の展望を開くうえでかけがえのない意味を持ちます。

まず、国際動向から述べましょう。ここでは、ＩＬＯ（国際労働機関）の関連する条約ならびに勧告、障害者権利条約の２つに絞ることにします。実は、これらにもルーツがあり、この点から押さえておきたいと思います。

労働施策に言及している国際規範の主要なものを年代順に並べると、世界人権宣言（１９４８年）、国際人権規約Ａ規約（１９６６年）、障害者の権利宣言（１９７５年）、国際障害者年（１９８１年）、「国連障害者の十年」（１９８３─１９９２年）、障害者の機会均等化に関する基準規則（１９９３年）などがあります。

例えば、世界人権宣言には、「すべて人は、勤労し、職業を自由に選択し、公正かつ有利な勤労条件を確保し、及び失業に対する保護を受ける権利を有する」（第23条）とあり、国際人権規約Ａ規約には、「この規約の締約国は、労働の権利を認めるものとし、この権利を保障するため適当な措置をとる。この権利には、すべての者が自由に選択し又は承諾する労働によって生計を立てる機会を得る権利を含む」（第６条１項）とあります。もう60

年も、70年も前の規定ですが、日本の障害者にとってこの水準は今なお高嶺の花であり、斬新《ざんしん》ささえ覚えます。

ここからは、ＩＬＯの関連文書を紹介します。そもそもＩＬＯとは何かですが、それを理解するヒントは設立年の１９１９年にあります。１９１９年と言えば、第１次世界大戦が終結した翌年にあたります。国際連盟の創設準備と並行して、国境を越えて戦争についてのふり返りがなされました。そこでの結論の１つが、「平和と各国の安定とは深く関係し、そのためには人びとの労働保障が欠かせない」ということでした。これを世界的規模で追求するとし、そのための専門的な国際機関としてＩＬＯが設立されました。平和の希求と、生命ならびに人権の尊重がＩＬＯのベースになっています。ちなみに同じ国際機関でも、その設立はユネスコ（１９４６年）やＷＨＯ（１９４８年）などと比べて、はるかに早いのです。

ＩＬＯの組織上の特徴は、各国ごとの政府代表、使用者（経営者）の代表、労働組合の代表の３者構成になっていることです。とくに、労働組合の役割は少なくないように思います。設立以来１００年余にわたって、労働に関するおびただしい数の規範や基準、指針を打ち出しています。日本を含めて各国の労働政策に深く浸透《しんとう》し、現実的な影響を及ぼしています。

そのＩＬＯは、障害のある人の労働分野にも深く関わっています。障害に特化したものとしては、年代順にあげると、①職業更生（身体障害者）勧告（第99号勧告、１９５５年。２０１８年に「職業更生（障害者）勧告」に変更）、②職業リハビリテーション及び雇用（障害者）条約（第１５９号条約、１９８３年）、③職業リハビリテーション及び雇用（障害者）勧告（第１６８号勧告、１９８３年）となります。

もし、これらがなかったとしたら、日本の障害者の労働施策はここまで至っていなかったと言って過言ではありません。例えば、障害者雇用政策の端緒となった身体障害者雇用促進法の誕生は、第99号勧告に導かれたものです。また、知的障害者や精神障害者が、身体障害者の雇用施策と同水準となるうえで、１９９２年に日本が批准《ひじゅん》した、第１５９号条約の役割は大きかったと言えます。同条約の第１条には、「この条約は、すべての種類の障害者について適用する」とあります。

ＩＬＯに関わって、もう１点あげておきたいことがあります。それは、「ディーセント・ワーク」(尊厳のある労働、あるいは人間らしい労働)です。提唱された1999年当時と併せみれば、そこに深い意味を読み取ることができます。地球規模での経済成長一辺倒の様相にあって人びとの働き方から尊厳が損なわれ、人間らしさが失われていったのです。ディーセント・ワークは、こうした様相への対抗概念であり、警鐘《けいしょう》でした。

その後、このディーセント・ワークは、障害のある人にも重ねられることになります。国連の潘基文《パンギムン》事務総長(当時)は、2007年の国際障害者デー(12月3日)に関連した特別談話のなかで、「今年の「国際障害者デー」は障害を持つ人々にとってのディーセント・ワークを確保するという目標に焦点を当てています。(中略)障害を持つ人々はほとんどあらゆる社会で、十分な雇用機会を与えられていません。推計によれば、先進国の障害者のうち半数以上、そして開発途上国の障害者の大多数が失業者となっています。就職している障害者も、ほとんどは不完全雇用か、労働市場に十分に参加できない状態にあります。これは嘆かわしい限りです」と述べています。

(2) 地平をひらく障害者権利条約

日本の障害関連の政策にとって、障害者権利条約が持つ意味は非常に大きいといえます。すでに、批准の条件を満たすための法律の整備などで効力を表しています(条約を国として受け入れるために、条約の水準に合わせて最低限の法律の改正や制定が必要となります)。障害者基本法の大規模な改正(２０１１年)や、障害者差別解消法の制定と障害者雇用促進法の差別禁止条項の新設(いずれも２０１３年、施行は２０１６年)などはその一環です。障害者の労働分野にも効果的な影響が期待されます。

障害者権利条約の内容に先立って紹介しておきたいことがあります。条約の制定過程の最大の特徴と言っていいでしょう。それは、審議のなかで幾度となくくり返されたフレーズ、「Nothing About Us Without Us」(私たち抜きに私たちのことを決めないで)です。実際にも、国際障害ＮＧＯの発言は随所で認められ、内容にも反映されています。もし、このフレーズが実質化されていなかったとしたら、障害者権利条約の存在感と信頼感はこれほどまでに大きくなかったでしょう。

ここからは、障害者の労働施策からみて、大切と思われる考え方を3点あげます。

１つ目は、インクルージョンです。公的な訳は「包容」であり、他にも「包摂」と訳す場合があります。民間団体の訳として、「分け隔てない」や「分けない」がありますが、こちらの方が本質を言い当てているように思います。

障害者の歴史は、隔離と分離の歴史であり、インクルージョンにはこれに猛省を加える意思が込められています。障害者権利条約では、いくつもの大切な理念が相互に補い合っています。インクルージョンについても、これを成り立たせるための補完概念があります。それは、後述する合理的配慮であり、アクセシビリティーです。

アクセシビリティーは、日本ではバリアフリーと同義で用いられる場合があります。しかし、成り立ちや社会の中核に影響を及ぼす考え方という点で、アクセシビリティーはバリアフリーを上回る概念ととらえるべきです。いずれにしても、合理的配慮やアクセシビリティーなどに裏打ちされた、「分け隔てない」とするインクルージョンは、新たな社会づくりの試金石になることはもちろん、障害者の働き方にも改革をもたらすことになるでしょう。

2つ目は、アファーマティブ・アクションです。「積極的差別是正措置」と訳されていますが、簡単に言うと、障害のある人の平等を実現するための「特別扱い」は、差別には当たらないという意味です。例えば、障害者雇用促進法の主柱である法定雇用率や採用時試験の特別対応(試験時間の延長など)はその典型です。これらは、障害のある人が雇用の機会にたどり着くうえで欠くことのできない「特別扱い」となります。

当たり前のような考え方を強調するのには、理由があります。障害者権利条約には、「障害に基づく区別は差別である」という規定があり、これとどう折り合いをつけるのかということになります。ここで、障害者権利条約は例外を認める考え方を取ることにしました。それが、アファーマティブ・アクションです。条文は、「障害者の事実上の平等を促進し、又は達成するために必要な特別の措置は、この条約に規定する差別と解してはならない」(第5条4項)としました。

もちろん、アファーマティブ・アクションに名を借りた安易な区別策はいただけません。例えば、障害者だけを集約する特例子会社(企業内の事業所)はその可能性があります。「ともに働く」という視点から、また「法定雇用率を達成するための便法になっているのでは」という疑問の声が少なくありません。

3つ目は、リーズナブル・アコモデーションです。公的には、「合理的配慮」と訳しています。端的に言うと、「障害のない人とある人の対等性を確保するための個別的な支援」です。そこには重要な条件が加えられています。具体的には、①合理的配慮の不提供は差別にあたる、②提供が過度な負担となる場合は断ることができる、③提供は原則として障害当事者本人の申し出に基づく、の3点です。障害者権利条約の「目玉」の1つであり、インクルージョンを実現していくうえでも欠かせない考え方です。

例として、鉄道の駅や職場をあげてみましょう。エレベーターや自動ドアなどは誰もが助かる環境整備で、ユニバーサルデザインの視点と言っていいでしょう。それに重ねられるように、障害の種別ごとに共通する支援策が加わります。車椅子用トイレや点字ブロック(視覚障害者誘導用ブロック)、聴覚障害者が助かる電光掲示板、知的障害者が理解しやすい絵文字などの表示がそれです。

従来は、この大きな2つの拡充に力がそそがれていました。合理的配慮は、これらの上に提供されるもので、あくまでも障害のある個人に特化した支援なのです。鉄道で言えば、列車や電車の乗降車時の支援、職場で言えば個々の条件に応じた勤務時間や定期通院の保証などがそれに当たります。今後の障害分野の発展を展望するうえでの切り札的な考え方となるでしょう。

なお、障害者権利条約には、障害者の労働分野に特化した条項として、第27条(労働及び雇用)があります。原則を押さえるうえで重要です。第27条はもちろんですが、この機会に条約全文に触れてほしいと思います。

4 日本の障害分野の潮流

(1) 優生思想にどう向き合うか

障害者の労働施策を考えるうえで、関連する国際潮流と併せてもう1つ大事になるのが、国内の障害分野の動向です。国内の障害関連政策にあって、労働施策のみが発展することはあり得ません。政策全体に否応なしに影響されるのであり、政策の全体が発展の方向に向かえば、労働施策の水準もまた引き上げられるに違いないのです。逆に停滞するようなことがあれば、それに引きずられることになるでしょう。そのような視点で国内の動きをみていくと、少なくとも次の2点を押さえておく必要があります。

最初にあげるのは、優生思想についてです。その詳細は関係書に譲ることにしますが、ひと口に言うと、「理想の社会とは、優秀な者が残り、劣る者は消えるべき」という考え方です。より正確に言えば、そこに遺伝の領域が絡むことになります。あのナチス・ドイツが、「強制断種法」「T4作戦」など、独裁政権のベースの1つに据えたことは前述した通りです。日本にも大きく影響しました。国民優生法(1940―1948年)、優生保護法(1948―1996年)へとつながるのです。

国民優生法の目的には、「本法は、悪質なる遺伝性疾患の素質を有する者の増加を防遏すると共に……」とあり、後継の優生保護法の同じく目的には、「この法律は、優生上の見地から不良な子孫の出生を防止するとともに……」とあります。とくに、優生保護法がもたらした影響は甚大《じんだい》でした。わかっているだけで、2万5000人もの障害者が強制不妊手術を施され、子どもを産めない状態にさせられたのです。もう1つ大罪があります。それは障害者を意味する、「悪質なる遺伝性疾患の素質を有する者」とか「不良な子孫」を、半世紀以上にわたって社会に流布してきたことです。誤った障害者観を醸成するには十分な期間でした。

株分けするかのように、誤った障害者観は、社会のそこかしこに根を下ろすことになりました。優生思想が隔離政策という形で現れたのがハンセン病政策であり、今なお続く精神障害者や知的障害者に対する長期収容政策も同根です。

障害者の就労関連の（「排除」の）例で言えば、２０１８年に発覚した中央省庁を中心とする公的機関での障害者雇用の水増し問題があります。表面的に問われたのは障害者雇用率の偽装《ぎそう》でした。

２・３パーセントという当時の政府機関の法定雇用率に対して、これを上回る２・４９パーセントと公表していましたが、その実は１・１８パーセントでしかなかったのです。国の長年にわたる偽装自体重大な問題ですが（自治体でも発覚が相次ぎました）、事の本質はそこではありません。本質は、「官製の障害者排除」なのです。

透けて見えてくるのは、新規に障害者を採りたくないとする本音です。そこには誤った障害観、すなわち障害者は生産性がないとする思い込みが根深く潜んでいるのです。「どんな支援をすれば職場全体の労働力を保てるのか」という知恵やイメージが欠落していたように思います。民間に率先すべき公的機関での「排除」だっただけに、障害当事者への衝撃は甚大でした。

昨今の例をもう1つあげます。それは、数多くの入所者が施設の元職員に殺傷された「津久井やまゆり園」事件(2016年)です。

犯人の主張は、事件前から判決確定時まで一貫して「重い障害者は不幸しか作れない。安楽死させるべき」で変わりませんでした。なぜそのようなゆがんだ障害者観が形成されたのか、ということと、生産性偏重とされる社会風潮や元の職場の影響との関係が問われていました。注目されていた裁判員裁判でしたが、これらに深く言及することはありませんでした。事件の背景や本質は解明されないままの封印となってしまったのです。

障害関連政策を発展させることとは、優生思想との戦いと言っていいでしょう。ここに掲げた以外にも、差別や排除の事象は枚挙《まいきょ》に暇《いとま》がありません。これらの一つ一つにていねいに向き合うことが大事になります。そのことはそのまま障害者の労働施策を育《はぐく》む土壌づくりにつながることになります。

(2) 地域移行と労働施策

日本の障害分野で、当たり前に多用されている言葉があります。それは、「地域移行」です。よくよく考えてみれば奇妙な言葉です。一般的に、「うちの娘は今春大学を終わり、地域生活に移行する」「病院での治療がうまくいき、間もなく地域移行できそうだ」などの言葉を交わすでしょうか。社会一般では馴染《なじ》みのないこの言葉が、障害分野にあっては、現実味と緊急性を伴って用いられるのです。

国内潮流でもう１つ重要になるのが、この地域移行の課題です。まずは、地域移行とは何か、その背景に何があるのかを考えてみましょう。

「地域移行とは」を簡単に言うと、精神科病院の入院者や入所型の障害者施設の入所者が、家族との同居生活や単身生活というかたちで通常の暮らし方に移るという意味です。問題の本質は、通常の暮らし方ができるはずの人がそうなっていないことです。

精神障害分野では、そのような状態にあることを、「社会的入院」と呼んでいます。その数は、厚労省のデータで７万人（入院者の総数は約28万人）にのぼります。同様に、知的障害者を中心に、障害者施設でも相当数が通常の暮らし方への移行が可能とされています（知的障害者施設の入所者数は、児童を含め約13万人）。

なぜこうした状況が起こるのかですが、さまざまな理由があります。これらのいくつかが、あるいは全体が絡み合いながら、地域移行を妨げているのです。

精神障害分野の社会的入院問題に、この地域移行を妨げている要因をみることができます。主な要因として、①退院後の生活支援の担い手となる家族の高齢化、②本人の経済基盤の脆弱《ぜいじゃく》さ、③働く場や住居などの地域資源の不十分さ、④民間病院の経営問題（退院が増えることによる収入減）、⑤病院縮小に伴うスタッフの働く場の不明確さ（解雇などの不安）、などがあげられます。逆に言えば、これらの課題が克服されれば地域で通常の暮らしが営めるということです。障害者施設でも同じようなことが言えるでしょう。

ここで、関連するもう1つの大きな問題を話しておきたいと思います。それは、地域で暮らす障害者のなかには、自宅の他に居場所を持たない「家ごもり」の状態にある人がおびただしい数にのぼることです。障害者の生産年齢人口（15歳から64歳）は約387万人で、このうち障害者雇用や福祉的就労の傘下にある人は約126万人（32・6パーセント）に留まっています。働いていない人の多くがこの「家ごもり」にある人と重なります。現象的には地域で暮らしていますが、本当の意味での地域移行にはなっていません。実質的な地域移行を実現していくうえで、こうした人びとも視野に入れるべきです。

以上の状態を好転させていくためには、さまざまな分野が力を合わせなければなりません。その基幹政策の１つに労働施策があげられます。地域に移行した時に、安心して身を置ける場を確保することは重要なテーマとなります。

加えて、働くという営みにはもう１つ積極的な意味があります。それは、長期入院にある人への触発の作用です。筆者も共同作業所に勤務していた時分に目の当たりにしています。共同作業所の利用者が、長期入院の友人と接しているうちに、友人の「退院したい」という気持ちを高めていったのです。働く姿がイメージできたのでしょう。意識の変化は、入院者だけではなく医師を含む医療スタッフにも及びました。そのような事例は豊富にあります。

こうみていくと、地域移行の関係からも労働施策の役割は大きいと言えるでしょう。働く機会の拡大という現実的な意味だけではありません。高いレベルの労働施策は、働くことをあきらめていた人の意識を刺激し、精神科病院や障害者施設を揺さぶり、退院や退所の促進作用をもたらすのです。

5 障害者の労働施策の近未来

(1) 2つの大きな方向性

本章の最後に、障害のある人の労働施策のあるべき姿を探ってみたいと思います。手がかりとしたのは、NPO法人日本障害者協議会が取りまとめた「障害者の働く権利を確立するための社会支援雇用制度創設に向けての提言」(2015年)です。取りまとめの過程には筆者も加わっていますが、本書においてはこれを圧縮し、少々手を加えました。社会みんなで考える素材にしてもらえればと思います。その前提となる大切な視点については、本章の前段で述べてきた通りで、ここではもう少し具体的に記してみましょう。

内容に先立って、ひと言加えておきます。とは言っても、すでに触れてきたことで(第1章)、再度の話となります。それは、障害者は決して少数派ではないということです。人口全体に占める割合は、広義でとらえれば20パーセント余に及びます。また、個人の生涯から考えても、終末期までを視野に入れれば、障害に遭遇《そうぐう》しない人はいないように思います。つまり、障害の問題はすべての人に関わるのです。さまざまな分野にまたがる障害の問題ですが、ことに多くの難題を抱えている就労施策について、もっと社会全体に位置付けてほしいのです。その点で、経済団体や労働団体への期待は大きく、役割は重要です。あらためて、市民一人一人も、わが身の人生行路と重ねてほしいと思います。

まずは、大きな方向性から入りましょう。これについては、2つの観点で述べることにします。

1点目は、成人期障害者の政策の基本類型についてです。労働施策ではなく、あえて「成人期障害者」の政策としたのには訳《わけ》があります。実は、成人に達した障害者のすべてが労働に就けるとは限りません。障害が重い場合には体調の維持を優先させるなど、現実的に働くことが叶わない人も存在します。まずは成人期を対象とした日中(デイタイム)の政策類型を明確にし、政策全体に安定性を持たせる必要があります。すなわち、成人期にある障害者のすべてが、社会のどこかに居場所があり、自分らしさを発揮できるようにということです。

このような視点に立って、制度の基本を、①一般雇用、②社会支援就労(本書ではこれまで福祉的就労と呼んできました。筆者は社会支援就労と改称すべきと考えています。中間的就労や社会支援雇用などとも呼称)、③デイセンターの3類型と提言します。現行制度と見比べて、それほどかけ離れているわけではありません。ただし、現行制度は、いずれの類型についても量と質の両面で脆弱です。また、縦割り行政の弊害《へいがい》も手伝って、類型のそれぞれが自己完結的で、類型間の連携も稀薄《きはく》です。さらには、パッチワーク的(つぎはぎ)な政策形成の経緯もあり、あまりに複雑になり過ぎてしまいました。人に関する政策は、「仕組みはシンプルに、運用は柔軟に」というのが鉄則ですが、この視点からの再編の意味もあります。

3つ目の類型となるデイセンターについて、ひと言触れておきます。現行制度にある生活介護事業の拡充版であり、労働障害の重い人を対象とした健康の維持・増進、創作活動、社会教育などを取り入れた通所型の施設です。むろん、活動の一環に軽作業も考えられるでしょう。「生活介護事業」の名称についても、能動性や活動性をイメージさせるようなものに改めるべきです。

なお、こうした3類型の選択に際し、何より重視すべきは当人のニーズです。加えて労

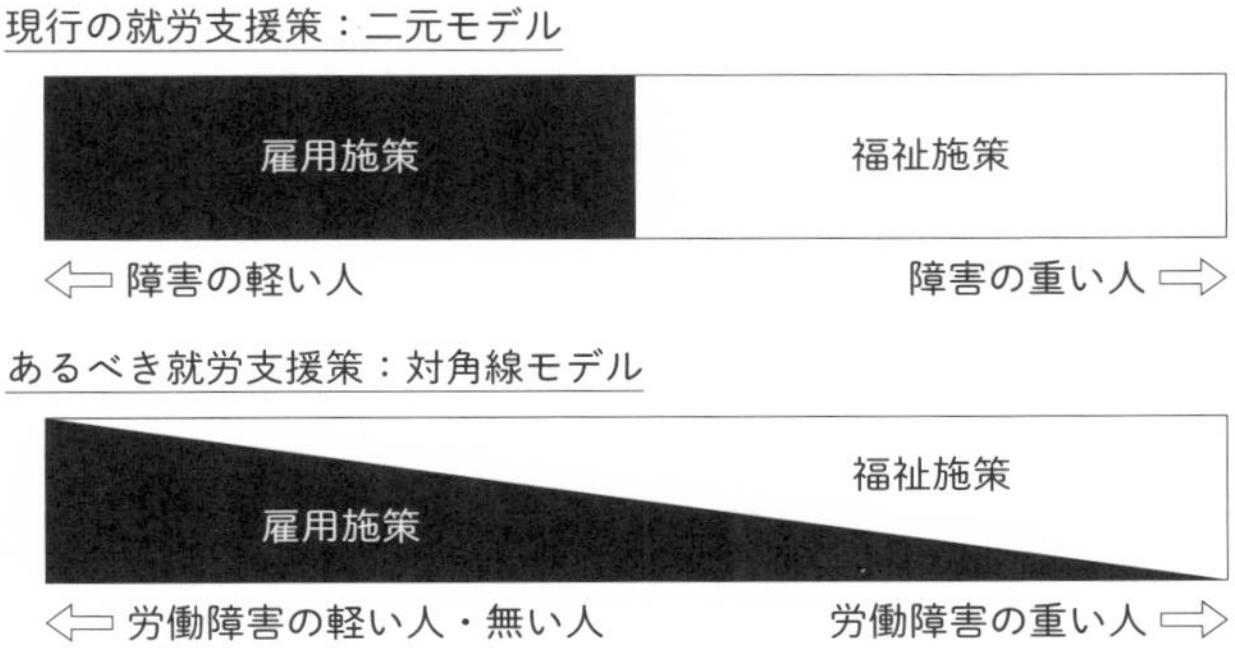

図 3-1　二元モデルと対角線モデル

働障害（障害程度）を客観的にとらえることも大切となります。実習や試用期間を十分に設け、類型間の移籍も柔軟に行なわれる必要があります。

大きな方向性の2点目は、労働施策と福祉施策の一体となった展開についてです。これについては、さらに2つに分かれます。1つは、雇用施策に、すでに制度化されているさまざまな障害者福祉施策を本格的に重ねることです。もう1つは、社会支援就労に労働法規を適用することです。労働施策と福祉施策の一体化については、障害当事者を含む関係者から強く唱えられています。しかし図3-1に示すように、現実はそうはなっていません。「対角線モデル」にいかにもっていくかです。

⑵ 雇用施策のあり方

障害者の労働施策の大どころは、何と言っても一般労働市場での雇用施策です。これについては、障害者雇用促進法を根拠法令に、一定の成果を築いてきました。ここで1つ、押さえておくことがあります。それは、幾度もの大きな改正を経てきた障害者雇用促進法ですが、1960年制定の身体障害者雇用促進法以来、変わっていない原則があることです。具体的には、雇用主の支援を基本としていることです。例えば、障害者雇用関連の各種助成事業が、障害者個人に直接及ぶことはありません。ことごとく事業主を介しての助成となります。障害者個々への直接支援を含む、原則のふり返りが必要です。

ここでは、法定雇用率制度のあり方と前述した雇用施策と福祉施策の一体展開に焦点を絞ることにします。

まずは、法定雇用率制度についてですが、そろそろ根本的な見直しが必要です。現行の法定雇用率制度(第1章参照)に検証を加えることであり、問題視されている計算式を取りやめることです。現在の計算式は公共職業安定所(ハローワーク)への障害者の求職登録者数を基礎としていますが、潜在的な雇用ニーズは桁違《けたちが》いに多いはずです。代わって何を拠りどころにするかですが、考え方の1つに、人口に占める障害者の割合があげられるでしょう。障害者手帳の所持者を中心とした障害者だけでも、人口比で約7・7パーセント(『令和2年版障害者白書』)存在します(障害者の総数は964万7000人で、これを人口約1億2600万人で割ると約7・7パーセントとなります)。この数値は、労働市場にあてはめてもおかしくありません。真のインクルーシブ社会の創造に向けて、公的機関も民間企業も既成の価値観を変えるぐらいの決意が必要となるでしょう。ちなみに、フランスは6パーセント、ドイツは5パーセントと設定しています。

法定雇用率制度については、数値のみにこだわる風潮が強まっています。当該企業の本業とは無関係の働き方であったり、障害者雇用を金銭で他企業に託すなどの事象も散見されます。過度な拡大解釈や誤った運用を許さない制度上の見直しが必要になっています。

もう1つは、雇用施策と福祉施策の一体化についてです。少なくない障害者が、通勤や職務上での支援、職場における生活分野(トイレや昼食など)での介助などで困っているに違いありません。これらが解決すれば就労できる人は大幅に増えることになるでしょう。

本来は、あるいは将来的には、欧州などで制度化されているパーソナルアシスタンス(障害当事者が選べる人的支援制度)が有効と思われます。これがすぐに叶わない今、現実的なのは、障害者総合支援法の活用です。同法には、移動を含むさまざまな人的な支援策が明示されています。労働施策と組み合わせることで、労働の可能性は格段に広がり、働き方の質も向上するに違いありません。

(3) 社会支援就労のあり方

次に、労働施策のもう1つの主柱である社会支援就労について述べます。これを論じるにあたり2点確認しておきます。

1点目は、社会支援就労での営みを、あくまでも労働に位置付けるということです。当たり前に思えるかもしれませんが、現行の政策はそうはなっていません。福祉的就労の主流は、就労継続支援B型事業ですが、これには労働法規は適用されません。つまり現在の福祉的就労は一般的な労働とはみなされていないのです。

労働法規が適用されないことに加えて、福祉的就労には独特の用語が使われています。

例えば働く人の呼び名について、雇用関係にあれば「社員」または「従業員」が普通ですが、福祉的就労にあっては「利用者」となります。また給料は「賃金」とは言いません。「賃金」ではなく、厚労省の統計表記などを含めて「工賃」で通っています。「工賃」と呼称されることで、最低賃金法を含む労働法規から遠ざかるように思います。実体は労働でありながら法律や行政上は労働の扱いになっていません。労働のダブルスタンダードがまかり通っているのです。ここは実体に合わせて、政策が動くべきです。すなわち、全面的か部分的かは別として、社会支援就労への労働法規の適用を検討すべきではないでしょうか。

これに活路を見出すような制度があります。それは、就労継続支援A型事業です。このA型事業は、B型事業と同じく障害者総合支援法を根拠としています。そのうえで労働施策とまたがっています。政策上のヒントとなるでしょう。

確認の2点目は、すでに述べてきた通り、社会支援就労は一般雇用とは異なる独自の労働形態であることです。インクルージョンの視点からすれば、一般雇用に統合すべきではとする考え方もあるでしょう。現に、国によっては就労継続支援B型事業のような場を廃止したところがあります。

一方で、その必要性を強調する国もあります。日本では、現実的な対応から社会支援就労を重視する考え方が大勢です。もし、現行のB型事業所の利用者のすべてが一般雇用へとなれば、ついていけない人が多く出現するに違いありません。就労継続支援事業(A型、B型)の利用者のなかには、一般雇用で心に傷を負った人が少なくありません。傷つかないまでも重荷に感じる人は相当数いるはずです。こうした人にとって、A型事業所やB型事業所は自らを解き放てる働く場になるのです。

なお、先に述べたアファーマティブ・アクションという考え方、つまり働く機会を実質的に確保するための特別の形態は差別には当たらないとする考えからも、社会支援就労はもっと積極的に位置付けるべきです。

もちろん、個々のニーズや状態に応じて、社会支援就労の場から一般雇用に移ることは大切です。その逆があってもいいのです。いずれにしても、一般雇用と社会支援就労をつなぐパイプは、これまでに増して太くならなければなりません。

社会支援就労制度が、社会に根を下ろし、障害者の労働を真に保障するものとなるためには、いくつもの条件が整備されなければなりません。主要なものでまずあげるべきは、仕事の確保です。すでに施行されている、「国等による障害者就労施設等からの物品等の調達の推進等に関する法律」（障害者優先調達推進法、就労継続支援事業への優先発注制度）を拡充することです。その効力を高めるために、国と自治体の責務を強めるもう一段の改正が求められます。

　また、第1章でも述べた、労働手段の改善も強調しておきたいと思います。労働障害を補うことと労働手段の関係は非常に深いのです。具体的には、労働補助具の開発に力を注ぐことであり、「障害者と労働」の視点からのＩＣＴやＡＩの本格導入を急ぐ必要があります。大切なのは、これを政策面から後押しすることです。

　賃金のあり方についても考えなければなりません。最低賃金制度と労働能力の欠損分《けっそんぶん》の関係をどうみるかです。労働能力の足らざる分を、「賃金補塡《ほてん》」という形で労働政策のなかで対応しようとする考え方の一方で、別途、労働政策以外の所得保障制度として確立すべきという考え方もあります。日本はどうするのか、各国の実態把握とともに深い検討が求められています。

もう1つ軽視できないのは、政府の政策審議のあり方です。縦割り行政の影響もあって、現在の政策審議の形態は、福祉施策と雇用施策がバラバラに論じられているのです。統合もしくは合同の審議方法を取るべきです。

なお、地域には障害とは直接関係しない就労困難者や障害と重なる「家ごもり」の人が数多く存在します。そう遠くない時期に、「就労困難者」(障害者を含む)という括《くく》りでの新たな就労施策の必要性が浮上する可能性もあります。効率一辺倒とは一線を画《かく》す社会支援就労の考え方は、こうした政策論議にも参考になるのではないでしょうか。

(4) 労働と重ねて多様な分野を

ここまで、障害者にとっての労働の大切さ、具体的な政策のあり方を論じてきました。この時点でちょっと立ち止まり、あえて聞いておきたい問いがあります。それは、「労働が人生のすべてですか」と。

答えはノーです。かけがえのない労働も、大きくみれば手段に過ぎません。大きな目的は、人間らしい暮らしであり、安定が確保された自立でしょう。それらの上位に待っているのは幸福です。

そこで労働を大切にしながらも、自立や幸福を得るために何が必要かを考えてみたいと思います。「木を見て森を見ず」のたとえではありませんが、部分と全体は常に一体的でバランスよくとらえることが肝要です。この場合の「木」は労働であり、「森」は自立や幸福となります。自立や幸福を具体的に言えば、生活や人生を豊かにしてくれる関連分野の確保ということになるでしょう。

この関連分野を明瞭にすることで、労働の意味や役割があらためて浮かび上がるかもしれません。関連分野と言いましたが、その一つ一つが障害分野全体からすれば非常に重いテーマなのです。ここでは主要なものの４点を掲げることにします。

１点目が、総合的な相談体制の確立です。「総合的」には、いくつかの意味を込めています。まず求めたいのは、１か所で何もかも相談できる「ワンストップ」の視点を重視することです。先々が不安でたまらない障害当事者や家族の多くは、「相談」という響きや看板にめっぽう弱いように思います。わらにもすがる思いで、相談にたどり着くのです。その相談事業所が、「うちは福祉、うちは労働」「うちは国の所管、うちは自治体の所管」

などと言っているようではどうにもなりません。利用者本位に立つならば、ワンストップという考え方は当然至極です。

もう1つの総合性は、いわゆる移行支援と相談支援を兼ね備えることです。前述した成人期障害者に対する「3類型政策」をより効果的なものとしていくためには、類型個々の充実と同時に、類型間移行のスムーズ性が重要となります。スムーズ性の前提となるのが、系統的な相談支援と障害当事者にとっての制度の使い勝手の良さです。当事者のニーズに根差したシステムの簡素化は、質の高いワンストップに道を開くに違いありません。

2点目は、住まいの確保です。中国の故事に「安居楽業」というのがあります。良質の住居と良質の仕事が揃《そろ》うことの大切さを説いているのです。働くことやデイセンターでの活動がいかに充実していたにせよ、生活の拠点となる住まいが安定しないようでは、暮らし全体のバランスが崩れてしまいます。たとえ古くても狭くても、わが家はわが家なのです。プライバシーが保たれ、リラックスでき、明日の英気を養うのがわが家です。このことは障害があっても何ら変わりありません。

住形態の現実は、①家族との同居、②単身暮らし、③グループホームでの暮らし、概《おおむ》ねこの3パターンです。引き続き、これら全体の質と量を拡充していくことです。なお、「家族との同居」には親との同居に加えて、配偶者《はいぐうしゃ》との暮らしや、子どもとの同居(発症後に配偶者と離別し、子どもの家に身を寄せる場合)なども含まれます。

住まいについて課題となるのが、家賃の確保と、ハードとしての住宅だけではなく、そこに人的な支援をどう付加するかです。家賃については、この後の所得保障に位置付けることができるでしょう。人的な支援でとくに重点を置くべきは、高齢家族との同居形態の場合であり、単身暮らしの場合です。日常生活を支えるヘルパー派遣だけではなく、休日の声掛けや夜間の相談支援が大事になります。

3点目は、本格的な所得保障制度を打ち立てることです。個人の経済基盤を固めることは、現実の生活への備えだけではなく、個人の尊厳という観点からも不可欠となります。一般的には、労働の対価でこれを得ることになります。しかし、障害のある人のなかには、それが叶わない人が少なくありません。稼得能力の不足分を社会政策として補う必要があります。現状は、障害基礎年金(1級は月額約8万1000円、2級は月額約6万5000円)を基本に生活している人が相当数にのぼります。年金受給者の一定層は就労継続支援B型事業で働いていますが、その80パーセント強が相対的貧困線(日本の場合は、年間の可処分所得が約122万円)以下に集中しています。

所得保障制度の具体策としては、生活保護制度の活用、障害基礎年金制度の拡充(無年金問題の解消を含む)、働く場での賃金補填策(財源は、租税だけではなく雇用保険を含む)のいずれか、もしくはこれらの組み合わせとなるでしょう。住まいに関する支援策については、生活保護制度のなかの「住宅扶助」(地域別の家賃扶助)が現実的な参考になるように思います。

4点目は、家族負担を解き放つことです。障害当事者からすれば、家族依存からの脱却ということになります。具体的には民法の扶養義務《ふようぎむ》制度の検討に着手することです。これに関する中核的な規定として、「直系血族及び兄弟姉妹は、互いに扶養をする義務がある」(民法第877条)があげられます。明治期の規定で、戦後扶養義務の範囲が多少狭まったものの、現在でも裁判所が認めれば三親等の親族にまで義務が及びます。

この規定は国民全般に及びますが、障害者とその家族への影響はより大きいといえます。家族の経済的、精神的、身体的な負担が重いだけではなく、社会政策の公的な責任をあいまいにする温床にもなります。それだけではなく、障害当事者からすると、生涯にわたって家族の庇護《ひご》のもとで生きることになり、家族への遠慮や、自立意欲の減衰《げんすい》にもつながりかねません。

成人に達した場合の扶養義務（支援の責任主体）は、家族の手から離れるべきです。家族扶養から社会扶養への切り替えと言っていいでしょう。血縁の関係が稀薄にならないということは欧米の例からも明らかです。支援責任を家族から離脱すべきとする社会の側の覚悟が固まれば、障害者政策の本質が変わるに違いありません。障害者の働き方や暮らしぶりにも新たな景色が見えてくるように思います。

第4章

「ともに働く」にむけて大切なこと

1　4つの視点

第1章では、人はなぜ働くかを考え、第2章では障害のある人たちが働いている「ともに働く現場」を紹介し、第3章では、希望する人誰もが働くために必要な政策等に関して学んできました。そしてこの第4章では、第3章のもう一方の側面である社会の現状と課題に関して、「知る」「わかる」「伝える」「動く」の４つの視点で考えていきたいと思います。

2　「知る」ための調査

「誰もがともに働くことのできる社会とは」を考えるには、今の状況を知る必要があります。状況を知るにあたって、私が所属する公益財団法人共用品推進機構の活動と関連させて紹介していきます。

共用品推進機構は、障害の有無、年齢の高低にかかわらず、ともに使える製品・サービス・環境を共用品、共用サービスと名付け、その普及を事業(仕事)として行っています。

同財団は1991年、民間企業、公的機関、個人事務所、フリーランス等で製品やサービスの企画、開発、デザイン等を担当している人、学生、主婦など20名が、誰もが使える製品やサービスの普及を目的に集まった市民団体E&C(エンジョイメント・クリエーション)プロジェクトから始まりました。

その後、市民団体として活動を8年間行い、1999年4月に財団法人になりました。市民団体から今の組織になっても一貫していることがあります。それは、障害のある人とない人が同じテーブルに着き、共生社会の実現という大きな目標に向かい、3つの事業をともに行っていることです。

1つ目の事業は調査です。この調査とは、障害のある人たちや高齢者が、どこで、どんな不便さを、何に対して感じているかをインタビューやアンケートによって聞くもので、「不便さ調査」と言っています。

この調査を始めた時は、第1章で紹介した医学モデルや社会モデルがまだ世の中で市民権を得る前でしたが、E&Cのメンバーは、自分たちが作る製品、サービスや環境を障害のある人たちにも使えるようにできないかと常日頃、思っていた人たちでした。

ところがいざ自分で、自社製品、サービスや環境を改善しようとすると、誰がどのように不便さを感じているかを「知る」手段を、持ちあわせていなかったのです。

その理由は、自分の周《まわ》りに障害のある人がいないことが大きな原因でした。学校を卒業するまで、障害のある人と同じ教室で学んだ経験がなく、社会に出ても職場には障害がある人がいないため、どこに行ったら障害のある人と会えるのか、会えたら会えたで、どうコミュニケーションをとってよいかを知る機会も方法も、ほとんどの人が持ち合わせていなかったのです。

そんなメンバーが、プロジェクトの会合に参加した障害のあるメンバーと初めて同じテーブルに着きました。その時、E&Cに参加した障害当事者は、視覚に障害のある人(以下、視覚障害者)たちでした。「視覚障害者との接し方」といったマニュアルが用意されていたわけではありません。そのため、障害のないメンバーは、障害のあるメンバーに向かい、勇気をふり絞って話しかけるのですが、「ここに」書いてあるのは……」とか、「そこに」あるのは……」といったふだん使っている指示代名詞で説明したため、視覚障害者には、「「ここ」ってどこだろう？」とか、「「そこ」ってどこだろう？」という疑問が出てきます。

テレビ番組のなかで、問い合わせ先を紹介する場面では、画面に表示された数字を読み上げることなしに、「ご覧の番号にお問い合わせください」といったアナウンスが当時はよく流れていました。視覚障害者たちは、テレビを聞いていて問い合わせをしようとメモ用紙を取りだしても、「ご覧の番号に」では、肝心な情報を入手することができません。この場合、省略せずに問い合わせ先の番号を読みあげることで解決します。ただそれだけのことですが、テレビの場合、時間的制約もあります。その制約のなかで、視覚障害者たちが「ご覧の～」ではわからないということを、テレビ制作者もアナウンサーもスポンサーもみんながそのことを理解しないと、数字を読み上げるように変えること1つとっても困難なのです。

けれども、E&Cの会合では指示代名詞を使っている人に、視覚障害者から直接「あれ」「それ」では、どこだかがわからないことを伝えることができます。しかも、わからないことだけ伝えるのではなく、どうすればわかるようになるかを伝えることができるのです。「ここに」ではなく、「30センチ前に」とか、「左斜め前に」など、具体的な表現で説明すれば伝わるといったアドバイスです。

また、会合が終わった後は、会議で「わからないことは聞けばいい」ことを「知った」メンバーは、最寄りの駅まで同行する方法も、視覚障害のある本人に直接「聞く」という手段を使って「知る」ことができ、すぐにそれを実践に移していったのです。

そんな経験をもったメンバーが計画したのは、自分たちが知ったことをもっと多くの人に知ってもらうこと、そのためには自分たちが、もっと多くの視覚障害者に会って、もっと多くのモノや場面での不便さを知ることでした。

コラム……オセロ

共用品推進機構が、最初の調査に視覚障害者を選んだ理由は、メンバーのなかに視覚障害者がいたこととともに、視覚障害者専用に作られた製品(盲人用具・福祉用具)のなかには、目が見えている人にも便利な工夫がされた製品がいくつもあったためです。

オセロは、8×8のマスに表裏が黒と白になった石を使い、同じ色で挟んだ相手の石を自分の色に変え、並べ終わった時どちらの色が多いかで勝負を決める、2人で対戦する盤ゲームです。けれども、石の黒と白は触っただけでは区別できず、マス目は平らな盤に線で書かれているのでわかりません。したがって視覚障害者が参加することができませんでした。

オセロは社会現象になるくらいにヒットしましたが、家族のなかで視覚障害者だけ遊べないことは、盲人用具を販売している日本点字図書館(略称:日点)に伝わりました。日点と複数の当事者が検討を重ね、石の黒側には4重の凸の輪を、マス目は障子の桟《さん》のようにすることをメーカーに提案、それを受けたメーカーは改良案を量産品にするための図面をひき、盲人用オセロが発売されるに至ったのです。

大回転オセロ

このオセロには、盲人用と形容詞が付きましたが、視覚障害者だけが便利になるのではなく、それまで、視覚障害者と対戦することができなかった目の見えている人にとっても、視覚障害者と対戦できるようになったので、決して盲人「専用」オセロではなかったのです。後に、商品名は誰もが使えるという意味でオセロUD(ユニバーサルデザイン)と名前が変わりました。次には、石を指でつまむことができない人がいることをメーカー側が知り、石の隅を指で押すと、黒から白、そして盤の色へと変えられる工夫をこらし、「大回転オセロ」という商品を販売しています。大回転オセロの石の黒は、盲人用オセロと同じく、四重の凸の輪が付き、手に障害を持つ人だけでなく、視覚障害者もともに遊べるようになっています。
「大回転オセロ」も「盲人用オセロ」と同様に、障害の無い人が障害のある人とともに遊べるようになったことは、「情けは人の為ならず」と言えると思います。

「モノごころヒト語り　オセロ」星川安之、日本経済新聞夕刊、2018年12月1日

調査するにあたって、E&Cに参加している視覚障害のあるメンバーに、視覚障害者のご自宅20軒を紹介してもらいました。40人近くのE&Cのメンバーが2人1組になり、分担して訪問したのです。E&Cの会合では、視覚障害者と接した経験のあるメンバーですが、自宅訪問は経験がなく、誰もが、緊張しての訪問となりました。「名刺に点字をうっていないが渡して失礼にならないだろうか」「手土産《てみやげ》はどうやって渡せば良いのか」「質問用紙は点字ではないので、ただ読み上げればよいのか」など、訪問前の頭のなかは「不

安」と「緊張」でいっぱいでした。

大手家電メーカーのメンバーの１人が訪問したお宅では、洗濯機が話題にあがりました。実際に洗面所まで案内されて行くと、そこには何と、彼が最近企画した洗濯機がおいてあったのです。うれしさのあまり、「これ、私が企画した洗濯機です！」と思わず大きな声を出しました。すると、思わぬ沈黙の後に「これ……使いづらいんです……」と、申し訳なさそうな声で、そう答えが返ってきたのです。

全盲の女性は、「前使っていた洗濯機には、複数の出っ張ったスイッチ・ボタンがついていました。一番右が電源、その左隣が洗う、その左がすすぎというように、それぞれのボタンを押すと、そのボタンがへこんで今何をしているかがわかりました。けれども、今度の洗濯機は、複数のボタンがみんな平らで凹凸がない(シートスイッチ)ため、どこを押してよいか、どこが作動しているのかがわからないのです」と言われたのです。

そしてまた次のことも彼に伝えたのです。「こういうことを言える場が今までなかったので、今日は訪問いただいてとてもうれしかったです」と、北風が吹いた後、太陽がポカポカ照らす「北風と太陽」の話のようにメンバーは女性の話を受け止めたのです。

後日、E&Cの会合で彼は、その時のことを「目からウロコが落ちました」と、みんなに伝えました。目からウロコが落ちた彼は、その場で女性から「主だったスイッチには触って分かる凸点などが付いていたらいい」との話を聞き、自社に戻りさっそく社内基準作りにとりかかりました。その結果、スイッチのONには凸状の丸《まる》い点を、OFFには凸バーを付け、その他のスイッチには点字をつけることに決め、自社製品を変えていったのです。

第2章で紹介した特例子会社のNTTクラルティは、設立当初は3名だった障害のある社員が、十数年たった今では、452名中340名となっています。身体、知的、精神など、各種の障害がある社員と障害のない社員がともに働く環境を作るために議論を重ねてきました。

NTTクラルティの職場での工夫のごく一部を第2章で紹介しましたが、その多くの工夫は、設立当初から整っていたわけではなく、不便さが発生する度に改善を重ねて整えられていったのです。

さらに社会には、自家用車でも通勤が困難な人もいます。同じく第2章で紹介したＯＫＩワークウェルでは、通勤が困難な人もともに働けるようにと、自宅を職場とする仕組みを考えました。

２０２０年の新型コロナウイルスの感染拡大は、ステイホームのかけ声のもと、多くの人が自宅での生活をしいられ、仕事もテレワークという言葉のもと、リモートでの仕事が普及を始めていますが、ＯＫＩワークウェルは16年も前から自宅で働く人たちへの環境を整えていたのです。

障害の有無にかかわらず、ともに働くことの原点は、知らないことに気づくことです。知らないことは恥ずかしいことではありません。知らないことを知っていることにしてしまったり、知らないままにすれば、形だけの「ともに働く職場」になってしまいます。次のコラムは、知らないことをそのままにしなかった、ある会社の人事部長の話です。

コラム　その方は、喋れるのですか？

大手製造メーカーA社の製品企画担当者は三十数年前、自社の新製品を視覚障害者でも使えるようにと試作段階で工夫を試みました。サンプルが出来上がってきたのですが、視覚障害のある当事者に試してもらう必要があります。けれども、社内に視覚に障害のある社員はいません。試作品のため外部に持ち出すことができなかったため、担当者は知り合いの視覚障害者に頼み会社にきてもらうことにしました。

担当者は人事部長にも視覚障害者が会社にくることを伝えておこうと、軽い気持ちで事前に報告をしたところ、人事部長の顔色が変わったのです。そして矢継ぎ早に「その方のために、駅から点字ブロックは敷かなくてもいいのか？」「トイレはどうするんだ？」。しまいには、「その方は、喋《しゃべ》れるのか？」と、担当者に聞いてきたのです。

この人事部長は、障害者に対して差別の意識はもっていないのですが、今まで彼が生きてきたなかで、視覚障害者と直接話す機会が一度もなかったのです。そのため、担当者は彼の質問に驚いた様子を見せずに淡々と、明日来社するので、今からでは駅から会社までの道に点字ブロックを敷くことはできないこととともに、駅まで自分が迎えに行き、同行するから問題ないこと、障害者用トイレは、車椅子使用者には必要だけれど、視覚に障害のある人には一般のトイレで問題ないこと、ただし、個室を利用する場合は、トイレットペーパーの位置と流すボタンの位置を伝えておくことは必要といったことを、ていねいに説明しました。そして最後の「その方は喋れるのか？」の質問には、「先ほども、電話で彼女と明日のことを打ち合わせしました」と伝えました。

そして迎えた当日、製品モニターが終わり、人事部長に視覚に障害のあるその女性に会わせたところ、明るく自己紹介をする彼女につられ話がはずみ、点字ブロックやトイレのことまで話がすすんでいました。

担当者が、駅まで彼女を送ってから会社に戻り人事部長のところに行くと、部長は難しい数学の応用問題を解いたあとのようにすっきりとした笑顔で、納得したように何度もその担当者にうなずいていたとのことです。

数年後、その人事部長は役員に昇格しました。初めての役員会で彼はある提案をしたのです。それは、「我が社は、消費者が使う製品を企画・開発・販売をしている。お客さまのなかには、障害のある方も多くおられる。そのためにも我が社は、障害のある社員を採用すべきである」という提案でした。

その提案は、満場一致で賛同を得て、１９９３年に視覚に障害のある社員が同社に入社。入社後、多くの障害のある人たちも使える共用品を世に送り出し続けています。

3 「わかる」ために、掘り下げる

(1) 不便さ調査

共用品推進機構は、次のステップとして2種類の調査を行いました。

1つ目は視覚に障害のある人たち約300名へのアンケート調査で、定量調査という位置づけです。定量調査とは、ヒヤリングやインタビュー調査など比較的少ない人たちに深く調査する「定性調査」の結果が、更に多くの人たちにも当てはまるかを確認するための調査です。

先ほど紹介した20軒の訪問調査を終えた段階で、ヒヤリング結果を集計してみると、朝起きてから夜寝るまでにさまざまな場面のモノやコトに関しての不便さがみえてきました。不便さは大別すると2点、1つは1人で目的地に向かって自由に歩き回ることが困難だということ、そしてもう1つは凹凸のない手書きや印刷された文字や絵などを読むことが困難ということでした。

それぞれの結果が、E&Cのメンバーにとっては「なるほど！」と思うことばかりでしたが、これをさらに多くの人に「なるほど！」と思ってもらうためには、アンケートによって、より多くの視覚障害者のことを知る必要があります。そのため、20軒の調査結果を分析し定性調査としてまとめるとともに、定量調査を行うためのアンケート項目を作成し、日点の利用者、日本で唯一点字の新聞を発行している毎日新聞社などを通して、「日常生活における不便さ調査」に答えてくれる障害者を募ったのです。

その募集に対しては、300名以上の人たちの応募がありました。その300名は、視力がない人から見えづらい人までさまざまでした。視力の違いや、視覚障害になった時期によっても、アンケート用紙の仕様を変えることが必要なことがわかりました。そのため、点字版、音声版、大きな活字版、対面式の聞き取りなど、それぞれの人に合った様式の調査票を送り、回答してもらったのです。

戻ってきた約300通の回答は、点字のものは墨字《すみじ》(点字に対して手書き、印刷した文字)にし、音声のものはテープ起こしをしながら、集計していきました。日本で初めての試みだったこともあり、選択式の回答ではなく、自由記入を主にしたことで、20軒の定量調査とは比べ物にならないほど多くの回答が寄せられ、不便さが具体的にみえてきました。その一部をイラストで紹介したものが図４-１です。とても多くの不便さが出てきましたが、大別すると、「自由に移動することが困難」と、「墨字の読み書きが困難」は、定性調査での結論と同じでした。

２つ目は、視覚障害以外の障害に関しての調査です。聴覚に障害のある人たちへの調査は、視覚障害と同じように、訪問調査から始め、定量調査の順で行いました。視覚障害者の調査と異なり、点字、音声版、大活字などの多様なアンケート用紙は必要ありませんでしたが、文書だけでは理解することが困難な人がいるので、イラストをつけたり、漢字にルビをふったりといったことが必要でした。障害によって異なる調査方法をとることが必要なことも学びました。その結果の一部が図４-２に示した不便さです。

さらに、調査を行っている最中に、複数の聴覚障害者から、「自分たちは、音や音声が聞こえないので、何が便利で何が不便かが、わかりづらい」というコメントをもらいまし

図 4-1
視覚障害者の不便さ（一部）

図 4-2
聴覚障害者の不便さ（一部）

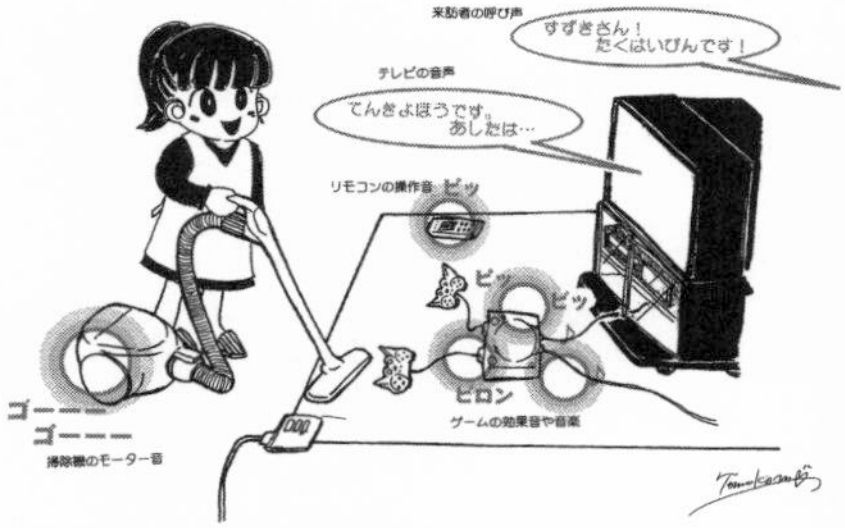

図 4-3　音・音声を吹き出しで伝えた図(一部)

た。そこで、家のなか、街、駅、病院、店など7つの場面にイラストを2枚ずつ作りました。1枚は、場面のみのイラスト、もう1枚は同じ場面のイラストのなかで音や音声が出ているモノに漫画で用いられる吹き出しに、音や音声を言葉で書き、さまざまな場面で音や音声が出ていることを、図4-3のようにして示しました。

この吹き出しで示した図をもとに、「知らなかった音や音声」を聞くとともに、「このなかの音や音声で、フラッシュなどの光や、振動が付いたらよいもの」はと、聞いたところ、多くのニーズが明らかになったのです。

その後も、車椅子使用者、弱視者、知的障害、妊産婦など、多くの不便さ調査を行っていますが、企業がもっとも関心を示したのは、図4-4に示す高齢者の不便さ調査です。

図 4-4
高齢者の不便さ（一部）

高齢者の不便さ調査を行ってわかったことは、それまでに行ってきた障害者の不便さと共通している点がとても多くあることでした。つまり、障害のある人が使うモノやサービスに考慮すると、高齢者への使いやすさにもつながるということです。

(2) 広がる凸点

視覚に障害のある人への定量調査は報告書としてまとめ、広く関係者に配布したところ、社会を変える力につながっていきました。

前述の家電製品のスイッチ部に凸点をつけるという工夫は、大手家電メーカーの担当者が、視覚に障害のある人のご自宅で聞いた話がきっかけになり、社内で検討が行われました。その検討と並行して、視覚に障害のある人たち300名への調査が行われ、そこでも多くの人が、凹凸のない複数のスイッチに対して不便を感じているという結果が出たのです。そのため、まずは家電製品のメーカーの集まりである家電製品協会のなかに委員会が作られ、協会としてのガイドラインが作成されました。

しかし、スイッチのON・OFFが触ってわからないのは、家電製品に限ったことではありません。E&Cには、通産省（現在の経済産業省）のメンバーも個人の立場で参加していました。「使用者、製造者、中立者からなる委員会を設置し、合意すれば国に対しJIS（日本産業規格）として提案することができる」とのアドバイスがあり、さっそく日本規格協会を通じて、凸点や凸バーをJISにする委員会を設置しました。業界の壁を超え、こうしてJISとして制定されたのです。

さらにこの凸点は、国際規格を作る組織であるISO（国際標準化機構）に提案したところ、各国の賛同を得て国際規格にもなっていきました。現在多くのスイッチに表示されている凸点や凸バーは、職場のコピー機や複合機、リモコンなどの各種家電や情報機器に採用されるようになりました。小さな点ではありますが、障害の有無にかかわらず、ともに働くための大きな役割を担っています。

(3) 良かったこと調査

共用品推進機構では、1993年より、各障害別及び高齢者に関する「不便さ調査」を行ってきました。その結果、それぞれの製品やサービスへの不便さを、企業、業界等が受

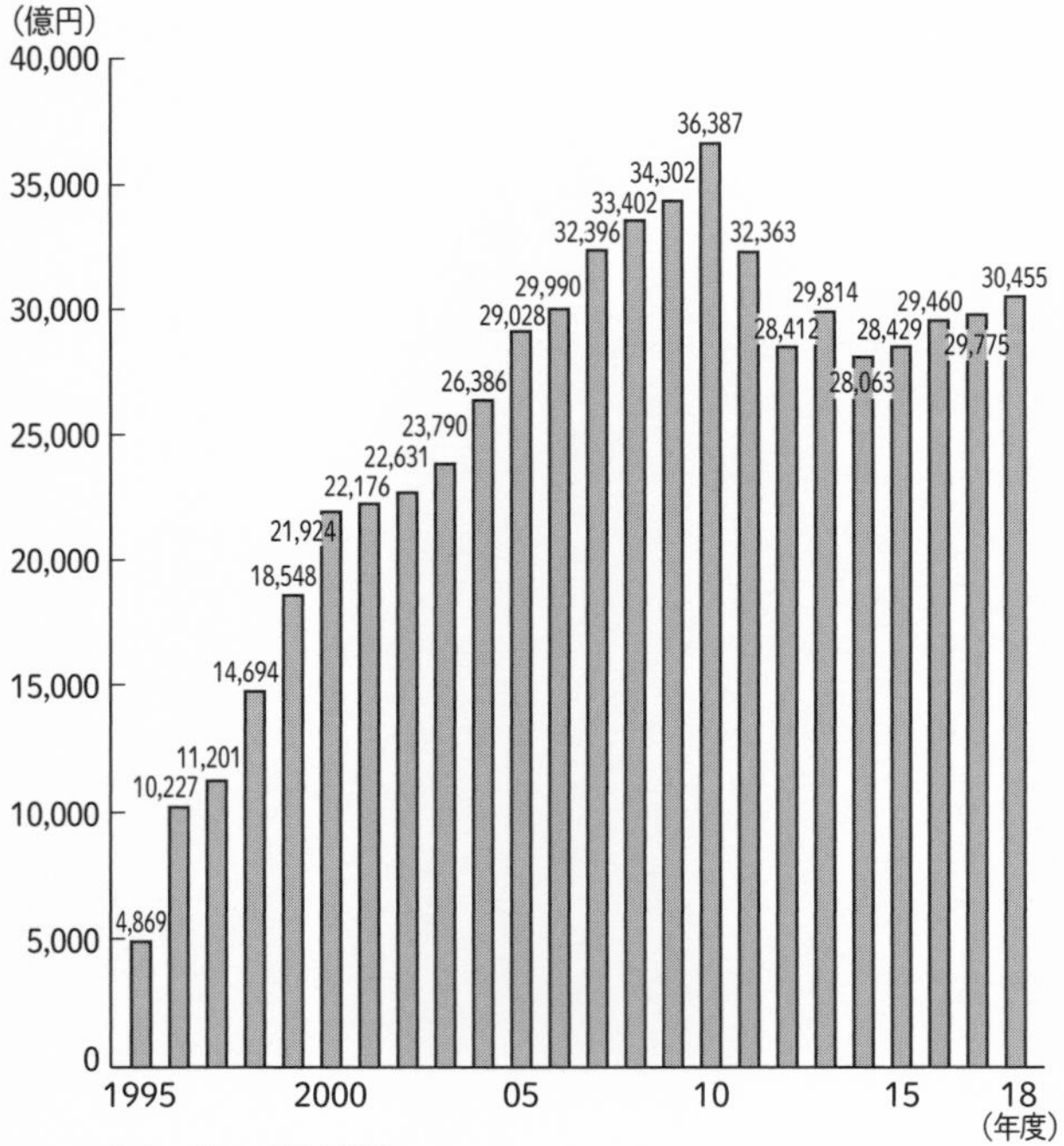

出典：共用品推進機構

図 4-5　1995〜2018 年度の共用品市場規模金額の推移

け止め、不便さが解決された製品・サービスが多く創出されました。共用品市場規模調査では、１９９５年度は該当製品の市場規模は約４９００億円だったのに対し、２０１８年度には３兆４５５億円と当初に比べ約６・３倍となっています(図４-５)。

各企業、業界団体等で行ってきた工夫は、政府機関である日本産業標準調査会のバックアップもあり、関連する高齢者・障害者配慮設計指針としてＪＩＳにおいてシリーズ化されるなど、すでに40種類が作られています。これらは国際規格ともなり、今後、さまざまな工夫がなされた製品が創出されやすい環境が整ってきたことを示しています。

ところで、これらの元になったのは「不便さ調査」でした。しかし、「不便さ調査」は文字通り、今まで不便だったことやモノを明らかにすることであり、言わばマイナスだったところを、ゼロに戻す役割でした。また、これまでの調査は、個々の障害ごとに行っていたため、相反する意見はほとんど出てきませんでした。

そのため、製品やサービスを企画・開発・製造・販売・及び実施する側は、さまざまな障害から出される異なるニーズを、同時に聞くことができず、広い視野にたった工夫ができない状況でもありました。そこで、これらの課題を解決するために、２０１３年度より

「良かったこと調査」を始めたのです。

「良かったこと」「良かったモノ」を聞くことで、マイナスをゼロにするだけでなく、各企業等がゼロからプラスに展開できるのではないかと、その可能性を確かめるべく、2013年度から2020年度の現在も継続して「良かったこと」調査を行っています。

その結果、多数の良かったことの声が寄せられ、更なる良いモノづくりやサービスの提供につながるきっかけとなることがわかったのです。

この項では、ともに働くことで、今までの企業や機関ではできなかったことをできるようになった例や、さらには個別の企業や機関の成果をあげるだけではなく、社会をも変えていくことができることを、規格づくりを例に紹介しました。

4 「伝える」ための会議

次は、ともに働くために基本となる会議について考えていきます。職場における会議は、情報が参加者全員に平等に伝わり、他者の意見が自分に伝わり、そして自分の意見が他者に伝わりながら、議論をする場です。それらが、参加者全員に享受《きょうじゅ》されることがとても大切です。そんな会議について紹介していきます。

２０１４年、国際ルールを統括するＩＳＯは、日本から提案された「アクセシブルミーティング(みんなの会議)」の文書を国際規格として制定しました。元になった規格は、日本で２０１０年に制定された同名の日本産業規格(JIS S0042)です。

前に述べたように、ＪＩＳを作るには、規格のテーマに関係する使用者、製造者、中立者が均等に入った委員会が設置され、議論することが必要です。前述の不便さ調査が行われる前までは、障害のある人が入った委員会は福祉用具の分野以外にはほとんどありませんでした。けれども、不便さ調査では、さまざまな分野の製品やサービスが対象となりました。それに参加する障害のある人は多岐にわたっています。

その多岐とは、規格テーマによっても異なりますが、視覚障害(全盲・弱視)、聴覚障害(ろう・難聴)、盲ろう、触覚障害、味覚・きゅう(嗅)覚障害、平衡機能障害、上肢障害、下肢障害、発声障害、知的障害、記憶障害、言語・読み書き障害、アレルギー、といった障害です。もちろん、他にも不便さを感じる人がわかったら、その時点で加わってもらうことになります。

多岐にわたる人たちが会議に平等に参加するためには、さまざまな準備が必要になります。それは大きく3段階に分かれています。

第1段階の「会議前」では、会議案内の作成と送付です。会議案内は参加する人が読むことのできる媒体で作り、届ける(送る)ことが必要です。案内が読めるだけではなく、出席、欠席などの記入も行える様式にすることが必要です。また、参加者が最寄りの駅等から会議場までアクセスできるかを確認しておくことも必要です。

第2段階は、「会議当日」です。最寄りの駅から誘導が必要な人がいる場合、その人員の手配、誘導の仕方の確認などです。

会議場の椅子やテーブルなどは参加者の特性に合わせます。配布する資料も、参加者の特性に合ったものを準備し配布します。会議中に手話や要約筆記などの通訳が必要な場合は、事前に手配し、手話通訳者とその通訳を必要とする委員の位置関係を確認し配置します。

会議の最中は、発言する前に名前を言ってから話すと、視覚や聴覚に障害のある参加者にとって誰が発言しているかがわかりやすくなります。また、一度に何名も話さないようにすることも、参加者に求められる配慮です。また、専門用語が多用されるとわかりづらい人、長い時間の集中が困難で途中途中で休憩が必要な人なども想定されます。

これらの困難は、インフラや設備機器、参加者や主催者の発言の仕方、通常の資料以外の代替的な様式（点字など）の組み合わせで解決できることがあります。それらを準備することで、より多くの人が参加できる会議がなりたっていきます。

第３段階では、議事録の確認や、次回開催のスケジュール調整などが、全員に伝わることが必要となります。

アクセシブルミーティングのＪＩＳでは、前記の項目に関して主に誰に対する配慮かがわかる表をつけ、誰に対して、どんな配慮をしたら良いかを示しています。これらの一連の配慮事項は、共用品推進機構や関係団体が、不便さ調査の会議からずっと試行錯誤で行ってきたことをまとめたもので、会社や機関での会議にも参考になります。

消費者を対象とした新たな製品やサービスの企画・開発や、既存の製品やサービスの改良・改善を行う際には、対象とする消費者のなかに障害のある消費者がいることを想定し、社内や機関内の会議にも、ともに働く障害のある社員が参加することで、気づかなかった点に気づくこともよくあります。

2020年新型コロナウイルス感染拡大により、在宅ワークを多くの人がしいられました。今までウェブ会議に疎遠《そえん》だった人たちも画面越しに話し相手の姿が見え、声が聞こえるツールが使われています。なかには、話した言葉がそのまま発言者の名前の後に画面に表示され、聴覚に障害のある人が不便なく参加できるものもあります。移動が困難な人もこの形式であれば、移動に関する不便さを解消できます。

このように形式も多様で、誰もが参加できる会議は、それぞれの機関によって、更には参加する人によっても配慮点は異なってきます。そのためにも、会議で議論されたことに関しては、会社・機関で共有し、外部にも伝えていける、多様な意見が集まった貴重な行動の原点となるのです。

5「動く」

(1) 多くの人に伝えるための「展示会」

E&Cプロジェクトと共用品推進機構は、1993年、95年、97年そして2000年に、障害のある人とない人がともに行ってきた事業内容を、多くの人に知ってもらい更に広がっていくことを目的に、東京銀座にあったソニービル8階のSOMIDOホールで展示会を行いました。

そこでは、①不便さ調査の結果、②調査から抽出された課題の解決案、③解決案から規格化されたJIS、規格を採用して作られた製品の展示、該当製品の市場規模の調査など、報告書やパネル及び製品を展示しました。

なかでも、97年に行った展示・イベントは「バリアフリーは銀座から」という名称で銀座界隈12か所、2週間で約20万人が参加する一大イベントとなりました。

市民団体として発足して3年目、5年目、7年目、10年目と節目《ふしめ》節目で行ったイベントは、障害のある人とない人との共同作業そのもので、マニュアルもないまま、「ともに働く」を試行錯誤しながら行いました。

93年の第1回目は、テーマを視覚障害に絞って行ったところ、北海道や九州から多くの人が来てくださいました。視覚障害者にも使いやすい製品の紹介は、視覚障害のあるE＆Cのメンバーが、同じく目の不自由な来場者に行うため、当然のことですが、当事者にわかりやすい説明になっています。

その説明を、他の来場者がじーっと見ながら何度も「そうか、そうなんだ」というようにうなずいていたことが、今でも印象に残っています。しかも、そのようにうなずいていたのは、1人や2人ではありませんでした。

95年には、初回のイベントに来られていた聴覚に障害のある人たちから「視覚障害だけでなく、自分たち聴覚障害に関しても取り組んでほしい」との声から行った調査や実践を紹介し、97年にはさらに多くの障害に関する取り組みを紹介することに発展しました。そのイベントを通じ、E＆Cのメンバーになった人は400人を超え、関係した機関も300機関以上になり、99年には市民団体から財団法人になっていったのです。E＆Cに関わった人たちが所属する機関では、多く障害のある人が今でもともに働いています。

市民団体から、財団法人になるまでの間、障害のある人とない人とが、「ともに働くためには」というガイドラインもないなか、ともに働いてこられたことを振り返ると、いくつかのポイントがあったことに気づきます。

（2）ともに働くためのコツ

①目標を共有する

E&Cプロジェクトには、さまざまな人がさまざまな立場で参加していました。E&Cでの事業(仕事・作業)が自分の仕事と直結している人、社会的意義を感じて参加している人、何事も経験という思いで参加している人、親族に障害のある人がいる人、ご自身が障害がある人などです。

障害のある人のなかでも、会社勤めをしている人、していない人、会社を理由があってやめてしまった人など、書き出せば人数分の背景が思いだされます。会社でうまくいかなかった人がE&Cプロジェクトのなかでは、実に生き生きと活動をしている様子も多く見ました。

E&Cでは、いくつかの班に分かれ、活動していましたが、どの班にも障害のある人とない人がまざっていました。同じテーブルに着いて個別のテーマについて検討を進めます。

目標はぶれずに1つ、「障害の有無にかかわらず、誰もが住みやすい社会を作る」ことでした。そのため、テーブルに着くといっても、お互いをみるのではなく、同じ方向にある目標に向かって誰がどうすれば、少しでもその目標に早く達成するかをみんなで考えていたのです。目標が困難であればあるほど、多くの人の力が必要になります。障害の有無などはもちろん関係なく、誰一人として必要でない人はいなかったのです。

②目線を合わせる

ここで言う目線を合わせるは、物理的な目線ではありません。会社や機関での役職のことでもありません。

障害のある人と初めて会ってとまどっている人でも、目線が合っている人もいます。長いこと障害のある人と一緒にいても、目線が合っていない人もいます。どんなに地位が年齢や障害の有無が違っていても、合わせられる部位が人間にはあります。それは心です。心の目線を合わせられた時、それぞれバラバラの方向に向いていたベクトルが突如同じ方向を向くことで前に進めることがあります。

Ｅ＆Ｃプロジェクトがそれを味わったのは、４回の銀座でのイベントでした。企画が得意、調査が得意、分析が得意、デザインが得意、広報が得意、自分の障害について人に説明するのが得意、他人をほめるのが得意、主婦の感覚が大切だと思わせるのが得意、人の得意なことを見つけるのが得意、たとえ相手が誰であろうと同じようにコミュニケーションがとれるなど、誰もがお互いをかけがえのない存在だと思えた時でした。

③数字の目標を立てる

91年に発足したＥ＆Ｃプロジェクトは誰もがともに暮らせる社会に向けて、障害の有無にかかわらず、ともに使える製品を共用品・共用サービスと称し、その普及を始めましたが、当時は企業勤めで20代の若いメンバーも多くいました。

若手のメンバーは、障害のある人たちとともに調査をし、共用品の普及を必要と感じ、自分が所属する企業の製品を共用品にすることを、直属の上司に提案しました。直属の上司は多くが理解のある人たちで、自らもＥ＆Ｃに参加する人も多くいました。そして会社にはいない障害のある人たちとコミュニケーションを交わし提案してきた部下と同じように、今度はその上司に提案するといった具合です。

ここで待ち受けているのが、「わが社の製品を共用品にするのはいい提案だが、ところでそれは売れるのか?」という問いかけでした。その問いかけが次のステップにいく大きな壁になっていた人は、他のメンバーのなかにもいました。E&C内部で話し合い、前述の経産省のメンバーから「共用品がどれだけ浸透しているか、そして今後どうなっていくかを調査しておく方が良い」とアドバイスがあり、1995年から行っているのが先に触れた共用品市場規模調査です。はじめ約4900億円だった金額が数年後には2兆円を超え、上司の言葉は、「売れるの?」から「早くやりなさい」に変わったのです。

障害のある人とない人がともに働く時、ともに働くことのみが目標になるのではなく、目標を共有することと、その目標に数字を入れることは、ときに大きな壁を突破する力になることを学んだのです。

【わかるための資料　不便さ調査】

左記は、公益財団法人共用品推進機構が、１９９１年から行ってきた障害のある人たちに、日常生活における不便さをアンケート調査で調べたものを報告書にしたものです。

■朝起きてから夜寝るまでの不便さ調査(視覚障害者)１９９３年10月発行
http://www.kyoyohin.org/ja/research/pdf/fubensa_1_seeing_1993_10.pdf

■耳の不自由な人たちが感じている朝起きてから夜寝るまでの不便さ調査１９９５年９月発行
http://www.kyoyohin.org/ja/research/pdf/fubensa_2_hearing_1995_9.pdf

■妊産婦の日常生活。職場における不便さに関する調査研究１９９５年10月発行
http://www.kyoyohin.org/ja/research/pdf/fubensa_3_pregnant_1995_10.pdf

■高齢者の家庭内での不便さ調査報告書１９９６年６月発行
http://www.kyoyohin.org/ja/research/pdf/fubensa_4_older_person_1996_6.pdf

■車いす不便さ調査報告書１９９８年7月発行
http://www.kyoyohin.org/ja/research/pdf/fubensa_5_wheelchair_1998_7.pdf

■弱視者不便さ調査報告書２０００年2月発行
http://www.kyoyohin.org/ja/research/pdf/fubensa_7_disability_older_list_2000_3.pdf

■障害者・高齢者等の不便さリスト２０００年３月発行
http://www.kyoyohin.org/ja/research/pdf/fubensa_7_disability_older_list_2000_3.pdf

■子どもの不便さ調査２００１年３月発行
http://www.kyoyohin.org/ja/research/pdf/fubensa_8_children_2001_3.pdf

■知的障害者の不便さ調査２００１年３月発行
http://www.kyoyohin.org/ja/research/pdf/fubensa_9_chiteki_2001_3.pdf

■聴覚障害者が必要としている音情報２００１年11月発行
http://www.kyoyohin.org/ja/research/pdf/fubensa_10_hearing_needs_2001_11.pdf

■高齢者の余暇生活の実態とニーズ調査報告書２００２年12月発行
http://www.kyoyohin.org/ja/research/pdf/fubensa_11_older_needs_2002_12.pdf

■高齢者の交通機関とその周辺での不便さ調査報告書１９９７年４月発行

http://www.kyoyohin.org/ja/research/pdf/fubensa_12_older_transportation_1997_4.pdf

■飲み物容器に関する不便さ調査１９９５年４月発行

http://www.kyoyohin.org/ja/research/pdf/fubensa_13_drinkcups_1995_4.pdf

■視覚障害者不便さ調査成果報告書

http://www.kyoyohin.org/ja/research/pdf/seeing2_2_2011_8.pdf

あとがき

系統発生《けいとうはっせい》とか個体発生《こたいはっせい》という言葉を聞いたことがあるでしょうか。初めての人も多いかもしれません。難しそうな言葉ですが、人間を含む動物の生態を読み解くうえで、欠かすことのできない観点とされています。

その意味を人間に引きつけて考えてみたいと思います。ごく簡単に言うと、系統発生とは、「人類の進化の過程」を、もう一方の個体発生とは、「個々の受精期から大人までの過程」をテーマにすることです。進化の過程や受精期などとなると、神秘的な感覚が迫ってくるように思います。過去があっての現在と考えれば、神秘の彼方《かなた》にぼんやりと自身をイメージする人もいるかもしれません。実は、系統発生も個体発生も、解明されていない部分がたくさんあるのです。とくに系統発生については、謎だらけと言われています。

そんななかで、1つはっきりしていることがあります。人間は、太古の昔も今も、「生きるための生業《なりわい》」を営々と続けていることです。この「生きるための生業」を、人間社会はひとくくりにして労働と呼ぶようになりました。単純に新たな呼び名をひねり出しただけではありません。「生きるために」から、「よりよく生きるために」へと、生業の意味を質的に転換させたのです。

「系統発生と労働」については、興味がそそられます。ただし、余りに深遠なテーマだと言えます。関心を抱き続けながら、さらなる研究の成果を待ちたいと思います。

もう1つの「個体発生と労働」ですが、こちらの方は、障害のある人を含む、今を生きるすべての人に深く関係します。つまり、すでに働いている人、これから働こうとする人にとってのリアルタイムのテーマとなるのです。現に働いている人の多くが、次のように実感しているに違いありません。「就職を節目《ふしめ》に人生ががらりと変わった」「稼ぎ出してから本当の自立心が湧いてきた」と。

とにかく、労働には不思議な力が備わるのです。働き始めのころに、もっとも感じやすい労働の力ですが、それだけではありません。学業を終えてからの生涯の全過程にわたって享受《きょうじゅ》できると言えるでしょう。労働に秘められた不思議な力を、自身の人生にたぐり寄せてほしいと思います。「よりよく生きる」の可能性を広げてくれるに違いありません。本書が、障害のある人もない人も、労働を今一度とらえ直す一助となることを期待します。

前置きが長くなりましたが、ここで本書のとくに伝えたいところを紹介します。もちろん、どう読むかは読み手の自由であり、参考程度にしてもらえればと思います。3点掲げます。

1つ目は、本書の一貫したテーマであり、この「あとがき」の前段でも触れたように、労働の大切さをさまざまな角度から深めてもらうことです。強調したいのは、労働に備わる根源性は、障害があろうがなかろうが、すべての人に共通するということです。高校生や大学生のみなさんにひと言付け加えるとすると、まずは自身と労働の関係を思いっきり膨《ふく》らませてほしいと思います。願わくは、その上に、障害のある人の「働きたい」という気持ちをもう一枚重ねてもらえればうれしいです。

2つ目は、障害のある人の労働の現実を知ってもらうことです。本書では、できる限り新しいデータで実態を紹介しました。一つ一つの数字の持つ意味を深く読み取ってほしいと思います。かつて国連は、「障害者をしめ出す社会はもろく弱い」と断言しました（1981年の国際障害者年にちなんだ決議）。言い換えれば、「障害者が働きやすい社会はすべての人が働きやすい社会」となります。「働き方改革」が声高《こわだか》に唱えられて久しいですが、改革の本気度を占う指標の1つが障害者の働き方です。実態のなかに、問題の本質を正確にとらえてほしいと思います。

3つ目は、「障害者と労働」の近未来を探るうえでの手がかりにしてもらうことです。掲げた事例は、これからをイメージするうえでの水先案内人となるでしょう。他にも、各地で魅力的な実践が生まれています。機会があれば、これらを訪れてほしいと思います。一般的な企業運営からみても参考となるでしょう。また本書では、「あるべき政策」「堅持してほしい視点（意識）」を提唱しました。社会すべてで深めてもらうための素材の1つにしてもらえれば幸いです。とくに、障害当事者や、若いみなさんから、「私はこう考える」「自分だったらこうする」などといった疑問や意見を寄せていただければと思います。

なお、本書は第1章、第3章を藤井が、第2章、第4章を星川が担当し執筆しました。

ここで、それぞれの筆者から、自己紹介をかねて、関わってきた仕事について簡単に述べます。まずは、藤井から紹介しましょう。最初の就職は、1970年の東京都立小平養護学校でした(対象は肢体不自由児、現在の都立小平特別支援学校)。ここでの障害の重い子どもたちの必死に生きようとする姿が、自身の生き方に決定的な意味をもたらすことになります。当時は、入学する子どもを、職員会議の多数決で選考していました。「なぜ障害の重い子から順番に学校教育から外すのか」「教育という大事な権利を多数決で選んでいいのだろうか」、こんな趣旨のことを懸命に発言したことを記憶しています。この時の光景と自身の発言は、その後の言動の源泉となっています。

1970年代の半ばに、精神に障害のある人たちと遭遇することになりました。多くのことを教わりました。これも自身の血肉となっています。この70年代でもう1つ大きかったことは、地域(東京都小平市)の障害者と教員が力を合わせて、共同作業所を創設したことです。アパートのひと間から始まった無認可(法律に基づかない福祉事業)の作業所でした。同時期、日本列島のあちこちに、まるで豆電球が点灯するように共同作業所が誕生しました。「みんなでつながろう」と、1977年に共同作業所全国連絡会(現在のきょうされん)を結成。準備の過程から関わりました。1982年に小平養護学校を退職し、精神障害者を対象とした共同作業所(あさやけ第二作業所)ときょうされんの活動に専念することになります。

共同作業所は、小規模作業所や地域作業所などと呼ばれながら全国に広がります。もっとも多い時で6023か所にのぼり、障害の重い人にとっての現実的な働く場となったのです。その後、法律改正などもあり、大半が法律に則った事業所(多くは就労継続支援事業に、他にも生活介護事業や地域活動支援センターなど)に移行することになりました。

筆者はもともと弱視でしたが、40歳を過ぎてから視力が急速に低下しました。角膜移植をくり返しましたが、いい結果にはつながりませんでした。45歳過ぎに活字と決別することになります。ある日の朝、前日まで見えていた新聞の大活字が読み取れなくなりました。そして60歳を超えたころに光を失うことになります。今は全盲の状態です。

文字との関係についてひと言触れておきましょう。音声パソコンに助けられているのです。文字の入力にはほとんど不便さはありません。新聞を含むいろいろな資料を読む(聴く)うえでも、その威力はすごいものです。本文で書いてきた労働手段の威力を実感していると言えるでしょう。

現在は、NPO法人日本障害者協議会や日本障害フォーラム(JDF)、そしてきょうされんなどに携わり、障害分野全般に関わっています。

◆　◆

私(星川)が、障害のある人と初めて出会ったのは、私がこの世に生を享《う》けた瞬間なので、半世紀以上も前のことになります。母親の障害の部位は心臓のため、重度でしたが外見からは障害があると気づかれず、仕事をしていても自分から言い出すことはありませんでした。言い出しにくい時代でもありました。障害のある人と障害のない人の間で育った私に仕事の方向性を与えてくれたのは、東京都世田谷区にある重度障害児の通所施設でのボランティアをしていた学生時代でした。言葉が不自由な脳性麻痺の子どもたちが必死で話しかけてくれるなか、療育士の「ここの子どもたちが遊べる市販のおもちゃがないのよね」のひと言に、生まれた時から見え隠れしていた応用問題が姿を現してくれたように感じました。

どうしてもその応用問題を解きたくて、私が小学校2年の時に仕事中交通事故で他界した父が、当時、開発の責任者として勤務していた玩具メーカーのトミー工業株式会社(現在のタカラトミー)を訪問しました。

「障害児のおもちゃを作りたいのですがそのような部署はありますか?」という質問に、当時の人事課長の「今はそういう部署はないけれど、いずれできるかもしれない」の言葉を信じ、入社試験を受けて入社。入社半年後の9月1日、創業者の三回忌の日に、障害児のおもちゃを研究開発する部署が新設され配属になりました。

開発部の先輩たちは、試作玩具を作るための図面の描き方、ギアの組み方、色のぬり方などは懇切丁寧に教えてくれましたが、障害児のことは自分で外に出かけ学ぶしかありませんでした。

1年目、さまざまな障害のある子どもたち約1000人に会い、どんな玩具なら遊べるかを聞き廻りました。2年目、まずは視覚障害児に絞り、30秒間メロディが鳴るボールの開発や、触って遊べるゲームの開発販売へと進みました。

順調に進むはずだったこの事業ですが、プラザ合意による円高で、障害児専用のおもちゃを開発する余裕がなくなりました。その時、当時副社長だった富山幹太郎現会長と話し合い、出した結論は専用玩具ではなく、ともに遊べる玩具への移行でした。

一般のおもちゃでも、試作段階で工夫をすれば、もっと多くの玩具が障害のある子どもたちも遊べるという発想です。そこからは、それまで以上に、外部の障害のある人たちとの共同作業が始まりました。企画段階、試作段階で、同じテーブルに座り、障害のある人と意見交換しながらの作業でした。その結果、ともに遊べる共遊玩具の第1号が、同社から発売になり、日本だけではなく欧米でも販売しヒット商品となりました。さらに共遊玩具は、トミー1社だけでなく、業界全体で行って意味があるとの社の判断で、1990年から玩具メーカーを統括する社団法人日本玩具協会に部会が発足し、業界全体の活動になったのです。

私は最初の1年、午前中トミーで勤務し、午後は日本玩具協会で業界での共遊玩具の普及活動に従事しました。マスメディアにも共遊玩具は取り上げられ、他業界の企業から自分たちも一緒に活動したいとの連絡をもらい、それがきっかけで発足したのが4章で紹介したE&Cプロジェクトです。

社会人になった1980年からの40年をふり返ってみると、常に障害のある人たちとの共同作業でした。それはとても楽しい時間でした。違いを知った時、ともに課題を見つけた時、ともに課題の一部が解けた時、そして41年前に受け取った「ここの子どもたちが遊べる市販のおもちゃがないのよね」という応用問題が解けた気持ちに心地よさを感じます。けれど、すぐに更なる「応用問題」が、あらゆる角度から出題されます。しかし、これも同じ問いに向かって障害のある人とない人がともに取り組めばいつか必ず解け、また、楽しい時間が待っていると信じています。

◆　◆

この本が仕上がるまでには、多くの人びとの協力をいただきました。「ともに働く」を実践している多くの機関の方々及び、「ともに働く」を支援している多くの機関や個人の方々に、貴重な経験を聞かせていただきました。更に、法政大学名誉教授の松井亮輔《りょうすけ》さんには全体にわたりアドバイスをいただき、きょうされん役員の斎藤なを子さんや赤松英知さんからも貴重な意見をいただきました。同じくきょうされん事務局の松本尭久さん、渡部伸太郎さん、甲斐敬子さんには、資料の作成などで力になっていただきました。

そして、「この企画、今の社会にとても重要ですね」と、2人の背中を押してくださった山本慎一編集長には心からの謝意を表したいと思います。ありがとうございました。

2020年9月28日

藤井克徳
星川安之

藤井克徳

1949年生まれ．青森県立盲学校高等部専攻科卒業．1982年都立小平養護学校教諭退職．あさやけ作業所設置や共同作業所全国連絡会(現・きょうされん)結成に参加．現在，NPO法人日本障害者協議会代表，日本障害フォーラム副代表，きょうされん専務理事，公益財団法人日本精神衛生会理事，公益財団法人ヤマト福祉財団評議員，精神保健福祉士．

著書に『わたしで最後にして――ナチスの障害者虐殺と優生思想』(合同出版)，『いのちを選ばないで――やまゆり園事件が問う優生思想と人権』(共編著，大月書店)など．

星川安之

1957年生まれ．1980年自由学園最高学部卒業．トミー工業株式会社(現・株式会社タカラトミー)入社，99年共用品推進機構設立．現在，公益財団法人共用品推進機構専務理事．2002年より日本点字図書館評議員．2010年より日本規格協会評議員．

著書に『アクセシブルデザインの発想――不便さから生まれる「便利製品」』(岩波ブックレット)，『共用品という思想――デザインの標準化をめざして』(共著，岩波書店)など．

障害者とともに働く　　岩波ジュニア新書925

2020年10月20日　第1刷発行
2022年 4 月15日　第4刷発行

著　者　藤井克徳《ふじいかつのり》　星川安之《ほしかわやすゆき》

発行者　坂本政謙

発行所　株式会社 岩波書店
〒101-8002 東京都千代田区一ツ橋2-5-5

案内 03-5210-4000　営業部 03-5210-4111
ジュニア新書編集部 03-5210-4065
https://www.iwanami.co.jp/

印刷・三陽社　カバー・精興社　製本・中永製本

ISBN 978-4-00-500925-1　　Printed in Japan

岩波ジュニア新書の発足に際して

きみたち若い世代は人生の出発点に立っています。きみたちの未来は大きな可能性に満ち、陽春の日のようにひかり輝いています。勉学に体力づくりに、明るくはつらつとした日々を送っていることでしょう。

しかしながら、現代の社会は、また、さまざまな矛盾をはらんでいます。営々として築かれた人類の歴史のなかで、幾千億の先達《せんだつ》たちの英知と努力によって、未知が究明され、人類の進歩がもたらされ、大きく文化として蓄積されてきました。にもかかわらず現代は、核戦争による人類絶滅の危機、貧富の差をはじめとするさまざまな人間的不平等、社会と科学の発展が一方においてもたらした環境の破壊、エネルギーや食糧問題の不安等々、来るべき二十一世紀を前にして、解決を迫られているたくさんの大きな課題がひしめいています。現実の世界はきわめて厳しく、人類の平和と発展のためには、きみたちの新しい英知と真摯《しんし》な努力が切実に必要とされています。

きみたちの前途には、こうした人類の明日の運命が託されています。ですから、たとえば現在の学校で生じているささいな「学力」の差、あるいは家庭環境などによる条件の違いにとらわれて、自分の将来を見限ったりはしないでほしいと思います。個々人の能力とか才能は、いつどこで開花するか計り知れないものがありますし、努力と鍛練の積み重ねの上にこそ切り開かれるものですから、簡単に可能性を放棄したり、容易に「現実」と妥協したりすることのないようにと願っています。

わたしたちは、これから人生を歩むきみたちが、生きることのほんとうの意味を問い、大きく明日をひらくことを心から期待して、ここに新たに岩波ジュニア新書を創刊します。現実に立ち向かうために必要とする知性、豊かな感性と想像力を、きみたちが自らのなかに育てるのに役立ててもらえるよう、すぐれた執筆者による適切な話題を、豊富な写真や挿絵とともに書き下ろしで提供します。若い世代の良き話し相手として、このシリーズを注目してください。わたしたちもまた、きみたちの明日に刮目《かつもく》しています。（一九七九年六月）

936 ゲッチョ先生と行く 沖縄自然探検　盛口 満

沖縄島、与那国島、石垣島、西表島、宮古島を中心に、様々な生き物や島の文化を、著名な博物学者がご案内！〔図版多数〕

937 食べものから学ぶ世界史 ―人も自然も壊さない経済とは？　平賀 緑

食べものから「資本主義」を解き明かす！産業革命、戦争…。食べものを「商品」に変えた経済の歴史を紹介。

938 国語をめぐる冒険　渡部泰明・平野多恵・出口智之・田中洋美・仲島ひとみ

世界へ一歩踏み出せば、新しい出会いと成長への機会が待っています。国語を使ってどう生きるか、冒険をモチーフに語ります。

940 俳句のきた道 芭蕉・蕪村・一茶　藤田真一

古典を知れば、俳句がますますおもしろくなる！　個性ゆたかな三俳人の、名句と人生、俳句の心をたっぷり味わえる一冊。

941 AIの時代を生きる ―未来をデザインする創造力と共感力　美馬のゆり

人とAIの未来はどうあるべきか。「創造力と共感力」をキーワードに、よりよい未来のつくり方を語ります。

942 親を頼らないで生きるヒント ―家族のことで悩んでいるあなたへ　コイケ ジュンコ　NPO法人ブリッジフォースマイル協力

虐待やヤングケアラー…、子どもはどのようにSOSを出せばよいのか。社会的養護のもとで育った当事者たちの声を紹介。

943 数理の窓から世界を読みとく ―素数・AI・生物・宇宙をつなぐ 初田哲男 柴藤亮介 編著

数学を使いさまざまな事象を理論的に解明する方法、数理。若手研究者たちが数理を共通言語に、瑞々しい感性で研究を語る。

944 自分を変えたい ―殻を破るためのヒント 宮武久佳

いつも同じメンバーと同じ話題。親に勧められた大学に進学し、楽勝科目で単位を稼ぐ。ずっとこのままでいいのかなあ?

945 ヨーロッパ史入門 原形から近代への胎動 池上俊一

古代ギリシャ・ローマから、文化的統合体としてのヨーロッパの成立、ルネサンスや宗教改革を経て、一七世紀末までを俯瞰。

946 ヨーロッパ史入門 市民革命から現代へ 池上俊一

近代国家の成立や新しい思想の誕生、二度の大戦、アメリカや中国の台頭。「古い大陸」ヨーロッパがたどった近現代を考察。

947 〈読む〉という冒険 イギリス児童文学の森へ 佐藤和哉

アリス、プーさん、ナルニア……名作たちは、本当は何を語っている?「冒険」する読みかた、体験してみませんか。

948 私たちのサステイナビリティ ―まもり、つくり、次世代につなげる 工藤尚悟

「サステイナビリティ」とは何かを、気鋭の研究者が、若い世代に向けて、具体例を交えわかりやすく解説する。